A MÁQUINA DO TEMPO

A MÁQUINA DO TEMPO

H.G. WELLS

TRADUÇÃO
LUISA FACINCANI

Esta é uma publicação Principis, selo exclusivo da Ciranda Cultural
© 2020 Ciranda Cultural Editora e Distribuidora Ltda.

Traduzido do original em inglês
The time machine

Texto
H. G. Wells

Tradução
Luisa Facincani

Preparação
Regiane da Silva Miyashiro

Revisão
Aiko Mine

Projeto gráfico, diagramação e edição
Ciranda Cultural

Imagens
vir ivlev/Shutterstock.com;
passion artist/Shutterstock.com;

Dados Internacionais de Catalogação na Publicação (CIP) de acordo com ISBD

W453m Wells, H. G.

A máquina do tempo / H. G. Wells ; traduzido por Luisa Facincani. - Jandira, SP : Principis, 2020.
112 p. ; 16cm x 23cm. - (Literatura Clássica Mundial).

Tradução de: The time machine
Inclui índice.
ISBN: 978-65-555-2002-6

1. Literatura inglesa. 2. Ficção. 3. Romance. I. Facincani, Luisa. II. Título. III. Série.

2020-588

CDD 823.91
CDU 821.111-3

Elaborado por Odilio Hilario Moreira Junior - CRB-8/9949

Índice para catálogo sistemático:
1.! Literatura inglesa : Ficção 823.91
2.! Literatura inglesa : Ficção 821.111-3

1ª edição em 2020
www.cirandacultural.com.br
Todos os direitos reservados.
Nenhuma parte desta publicação pode ser reproduzida, arquivada em sistema de busca ou transmitida por qualquer meio, seja ele eletrônico, fotocópia, gravação ou outros, sem prévia autorização do detentor dos direitos, e não pode circular encadernada ou encapada de maneira distinta daquela em que foi publicada, ou sem que as mesmas condições sejam impostas aos compradores subsequentes.

SUMÁRIO

Introdução 7

A máquina 14

O Viajante do Tempo retorna 19

Viagem no Tempo 26

Na Era de Ouro 33

A decadência da Humanidade 38

Uma surpresa repentina 45

Explicação 52

Os Morlocks 64

Quando a noite chegou 71

O Palácio de Porcelana Verde 79

Na escuridão 86

A armadilha da Esfinge Branca 94

A visão futura 98

O retorno do Viajante do Tempo 104

Depois da história 106

Epílogo 111

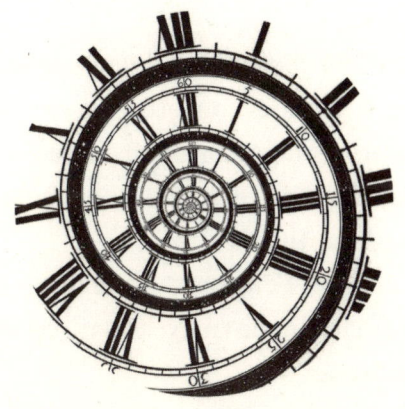

INTRODUÇÃO

O Viajante do Tempo (que será chamado assim por conveniência) nos esclarecia um assunto obscuro. Seus olhos acinzentados brilhavam cintilantes, e seu rosto, normalmente pálido, estava corado e entusiasmado. O fogo queimava de maneira intensa, e o brilho suave das luzes incandescentes nos lírios de prata do candelabro capturava as bolhas que reluziam e se desfaziam em nossos copos. Nossas poltronas, desenhadas pelo próprio Viajante, nos abraçavam e acariciavam em vez de servirem como meros assentos, e havia aquela luxuosa atmosfera após o jantar, quando os pensamentos correm livres do domínio da precisão. E ele nos explicava desta maneira, indicando com o dedo magro os pontos, enquanto nos recostávamos e admirávamos preguiçosamente sua determinação a respeito deste novo paradoxo (como nós o definimos) e seus desdobramentos.

– Prestem muita atenção em mim. Terei de contestar uma ou duas ideias que são quase universalmente aceitas. A geometria ensinada a vocês na escola, por exemplo, é baseada em um conceito errado.

– Você não acha que é um nível muito alto para começarmos? – disse Filby, um ruivo muito argumentativo.

– Não pretendo pedir a vocês que aceitem tudo sem razões plausíveis para isso. Em breve, eu os farei concordarem comigo. Vocês sabem, é claro, que uma linha matemática, uma linha de espessura zero, não tem existência real. Ensinaram isso a vocês? Assim como um plano matemático. Essas coisas são apenas abstrações.

– Certamente – disse o Psicólogo.

– Um cubo também não pode ter existência real se tiver apenas comprimento, largura e altura.

– Disso eu discordo – disse Filby. – Naturalmente, um corpo sólido pode existir. Todas as coisas reais.

– Bom, é o que a maioria das pessoas pensa, mas espere um momento. Um cubo instantâneo pode existir?

– Não entendi – disse Filby.

– Um cubo que não dure nem mesmo um segundo pode ter uma existência real?

Filby ficou pensativo.

– Obviamente – prosseguiu o Viajante do Tempo –, qualquer corpo real deve se estender em quatro direções: comprimento, largura, altura e duração. Mas, por causa de uma imperfeição do corpo, que explicarei em breve, somos inclinados a ignorar esse fato. Existem realmente quatro dimensões, três que chamamos de "os três planos do Espaço", e uma quarta, "o Tempo". Existe, entretanto, uma tendência a criar uma distinção irreal entre as três primeiras dimensões e a última, porque nossa consciência se move de maneira descontínua em uma só direção ao longo do Tempo, do início ao fim de nossas vidas.

– Isso... – disse um jovem rapaz, fazendo um grande esforço para reacender seu charuto à luz de uma lâmpada – isso é, de fato, muito claro.

– No entanto, é surpreendente que isso seja tão amplamente ignorado – continuou o Viajante do Tempo, com uma leve animação. – É exatamente isso que se entende por Quarta Dimensão, ainda que algumas pessoas falem sobre ela sem saber o que dizem. É apenas uma outra maneira de enxergar o Tempo. Não há diferenças entre o Tempo e as outras três dimensões do Espaço, exceto que a nossa consciência se move junto a ele. Mas algumas pessoas ingênuas apegaram-se ao lado errado da ideia. Vocês já ouviram o que eles têm a dizer sobre essa Quarta Dimensão?

– Eu não – disse o Prefeito Provincial.

– É simples. Considera-se que aquele Espaço, da maneira como entendem nossos matemáticos, possui três dimensões, que podem ser chamadas de Comprimento, Largura e Altura, e é sempre definido em referência a três planos, ligados uns aos outros por ângulos retos. Porém algumas pessoas têm filosofado sobre por que três dimensões especificamente, por que não outra direção em ângulo reto com as outras três? E até tentaram criar uma geometria Quadridimensional. O Professor Simon Newcomb explicou tal teoria à Sociedade Matemática de Nova Iorque[1] há pouco mais de um mês. Vocês sabem que em uma superfície plana, com apenas duas dimensões, podemos representar uma figura de um sólido tridimensional. Assim, de maneira semelhante, essas pessoas acreditam que, com modelos de três dimensões, seria possível representar um modelo de quatro, se pudessem dominar a perspectiva da coisa. Entenderam?

– Acredito que sim – murmurou o Prefeito Provincial. E franzindo a testa, entrou em um estado introspectivo, seus lábios movendo-se como se repetissem um mantra. – Sim, acho que entendo agora – disse, depois de algum tempo, animando-se momentaneamente.

– Bom, não me importo em dizer a vocês que venho trabalhando nessa geometria de Quatro Dimensões há algum tempo. Alguns dos meus resultados são curiosos. Por exemplo, aqui está o retrato de um homem aos 8 anos de idade, outro aos 15, outro aos 17, outro aos 23 e assim por diante. Todos esses retratos são seções, por assim dizer, representações Tridimensionais do seu ser Quadridimensional, que é algo fixo e inalterável.

---

[1] Hoje conhecida como *American Mathematical Society* (Sociedade Americana de Matemática, em português). (N.T.)

– Pessoas da área científica – prosseguiu o Viajante do Tempo, após a pausa necessária para a assimilação apropriada do assunto – sabem muito bem que Tempo é apenas um tipo de Espaço. Tenho aqui um diagrama científico popular, um boletim meteorológico. Esta linha que traço com o dedo mostra o movimento do barômetro. Ontem este estava alto, à noite caiu, e então esta manhã subiu de novo, chegando cuidadosamente até aqui. Sem dúvida, o mercúrio não traçou esta linha em nenhuma das dimensões do Espaço geralmente reconhecidas, não é? Mas com certeza traçou uma linha e, portanto, devemos concluir que essa linha foi traçada ao longo da Dimensão-Tempo.

– Mas... – disse o Médico, olhando fixamente para um carvão que queimava – se o Tempo é realmente apenas uma quarta dimensão do Espaço, por que é, e por que sempre foi, considerado algo diferente? E por que não podemos nos mover no Tempo assim como nos movemos nas outras dimensões do Espaço?

O Viajante do Tempo sorriu.

– Tem certeza de que podemos nos mover tão livremente no Espaço? Podemos ir para a direita e para a esquerda, para frente e para trás com liberdade, e assim os homens sempre fizeram. Reconheço que nos movemos à vontade em duas dimensões. Mas, e para cima e para baixo? A gravidade nos limita nesse quesito.

– Não necessariamente – disse o Médico. – Existem balões.

– Mas antes dos balões, exceto por saltos curtos e assimetrias na superfície, o homem não tinha nenhuma liberdade de movimento vertical.

– Ainda assim, podiam se mover um pouco para cima e para baixo – disse o Médico.

– É mais fácil, bem mais fácil, para baixo do que para cima.

– E você não pode se mover no Tempo de forma alguma, não pode fugir do momento presente.

– Meu caro senhor, é aí que se engana. É aí que o mundo inteiro se enganou. Nós estamos sempre fugindo do momento presente. Nossas existências mentais, imateriais e sem dimensões, estão viajando ao longo da Dimensão-Tempo em uma velocidade constante, do berço ao túmulo. Da mesma maneira que nos deslocaríamos para baixo se começássemos nossa existência 80 km acima da superfície terrestre.

– Mas a grande dificuldade é essa – interrompeu o Psicólogo. – Você pode se mover em todas as direções do Espaço, mas não pode se mover no Tempo.

– Essa é a origem da minha grande descoberta. Estamos errados ao dizer que não podemos nos mover no Tempo. Por exemplo, se eu estou relembrando um acontecimento muito vívido, volto ao instante em que este ocorreu: fico distraído, como vocês dizem. Volto ao passado por um momento. Claro, não temos como permanecer lá por mais do que um curto período, não mais do que um homem primitivo ou um animal pode permanecer a alguns metros do chão; porém um homem civilizado está bem melhor do que um primitivo nesse aspecto. Ele pode desafiar a gravidade em um balão, então por que não deveria acreditar que finalmente pode ser capaz de parar ou acelerar seu percurso ao longo da Dimensão-Tempo, ou até mesmo fazer um retorno e viajar na direção oposta?

– Ah, isso – começou Filby –, é tudo...

– Por que não? – perguntou o Viajante do Tempo.

– É contra a lógica – disse Filby.

– Que lógica? – perguntou o Viajante do Tempo.

– Você pode usar argumentos para provar que preto é branco – disse Filby –, mas nunca irá me convencer.

– Provavelmente não – disse o Viajante do Tempo. – Mas agora vocês começam a ver o objeto das minhas investigações no campo da geometria das Quatro Dimensões. Há muito tempo, tive a vaga ideia de uma máquina...

– Para viajar no Tempo! – exclamou o Jovem Rapaz.

– Que pudesse viajar em qualquer direção de Espaço e Tempo, de acordo com a vontade do piloto.

Filby soltou uma risada.

– Mas eu fiz uma experiência – disse o Viajante do Tempo.

– Seria muito conveniente para os historiadores – o Psicólogo sugeriu. – Poderiam voltar ao passado e verificar o relato sobre a Batalha de Hastings[2], por exemplo.

– Você não acredita que isso chamaria a atenção? – perguntou o Médico. – Nossos ancestrais não tinham muita tolerância para anacronismos.

– Poderiam aprender grego dos próprios lábios de Homero e Platão – pensou o Jovem Rapaz.

– Nesse caso, certamente o reprovariam no exame da universidade. Os acadêmicos alemães aperfeiçoaram muito o grego.

– E ainda tem o futuro – disse o Jovem Rapaz. – Imagine! poder investir todo o dinheiro guardado, deixar acumular com juros e então aproveitá-lo.

– Para descobrir uma sociedade construída fundamentalmente sobre bases comunistas – eu disse.

– De todas as teorias extravagantes! – começou o Psicólogo.

– Sim, era como me parecia, e por isso nunca comentei a respeito até que...

– Fez a experiência! – resmunguei. – Você vai comprovar isso?

– O experimento! – gritou Filby, que começava a se cansar.

– De qualquer maneira, vamos ao seu experimento – disse o Psicólogo –, apesar de ser tudo um truque, você sabe.

O Viajante do Tempo sorriu para nós. Então, ainda sorrindo e com as mãos afundadas nos bolsos da calça, andou lentamente para fora da sala. Ouvimos o arrastar dos seus chinelos no longo corredor até o laboratório.

O Psicólogo nos olhou.

---

2   A Batalha de Hastings ocorreu no dia 14 de outubro de 1066, entre o último rei anglo-saxão, Haroldo II, e o duque da Normandia, Guilherme, o Bastardo, e resultou na coroação de Guilherme como Rei da Inglaterra. O relato mencionado pela personagem foi feito por um cronista da época e é até hoje utilizado como referência para se compreender a batalha. (N.T.)

– Me pergunto o que ele vai fazer...

– Ilusionismo ou algo do tipo – disse o Médico, e Filby tentou nos contar sobre um mágico que havia visto em Burslem, mas antes de terminar a introdução, o Viajante do Tempo retornou, e a anedota de Filby acabou.

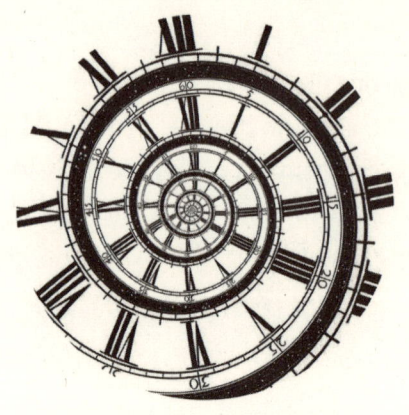

A MÁQUINA

Aquilo nas mãos do Viajante do Tempo era uma estrutura de metal cintilante, um pouco maior que um pequeno relógio, e bem delicada. Tinha partes de marfim e de um tipo de substância cristalina transparente. E agora devo ser bem claro, pois o que vem a seguir, a menos que a explicação do Viajante seja aceita, é algo totalmente inexplicável. Ele pegou uma das pequenas mesas octogonais espalhadas pela sala e a colocou em frente ao fogo, com dois pés apoiados no tapete. Sobre a mesa posicionou o mecanismo, então puxou uma poltrona e se sentou. O outro objeto sobre a mesa era um pequeno abajur, cuja luz iluminava o dispositivo. Havia talvez uma dúzia de velas ao redor da sala, duas em castiçais de bronze sobre a parte de cima da lareira e diversas em arandelas, para que a sala estivesse completamente iluminada. Sentei-me em uma poltrona baixa perto do fogo e a puxei para a frente, ficando quase entre o Viajante do Tempo e a lareira. Filby sentou-se atrás dele, olhando-o por cima do ombro. O Médico e o Prefeito Provincial o observaram de perfil do lado direito e o Psicólogo, do lado esquerdo. O Jovem Rapaz ficou atrás do Psicólogo. Estávamos todos em alerta e parecia impossível para mim que algum tipo de truque, por mais hábil e sutil que fosse, pudesse ter nos enganado sob essas circunstâncias.

O Viajante do Tempo olhou para nós e, depois, para o mecanismo.

– E então? – perguntou o Psicólogo.

– Este pequeno objeto – disse o Viajante do Tempo, apoiando os cotovelos na mesa e unindo as mãos sobre o aparato – é apenas um modelo. É o meu plano de máquina para viajar através do tempo. Vocês notarão que ele parece particularmente torto, e que esta barra tem uma aparência cintilante estranha, como se fosse falsa de alguma forma – Ele indicou o local com o dedo. – Aqui há uma pequena alavanca branca, e há outra aqui também.

O Médico levantou-se da poltrona e se posicionou perto do objeto.

– É incrivelmente bem feito – ele disse.

– Levou dois anos para ser construído – observou o Viajante do Tempo. Então, quando todos nós havíamos imitado a ação do Médico, ele disse:

– Quero deixar muito claro para vocês que esta alavanca, ao ser pressionada, envia a máquina para o futuro, e esta outra reverte o movimento. Esta sela representa o assento de um viajante do tempo. Agora vou pressionar a alavanca e a máquina começará a funcionar; e vai desvanecer, saltar para o Tempo futuro e desaparecer. Olhem bem para ela. Olhem para a mesa também para confirmar que não há nenhum truque. Não quero perder este modelo e depois ser chamado de charlatão.

Houve um minuto de pausa talvez. O Psicólogo deu a impressão de que falaria comigo, mas mudou de ideia. Então, o Viajante do Tempo estendeu o dedo em direção à alavanca.

– Não – ele disse, de repente. – Dê-me a mão.

E virando-se para o Psicólogo, pegou em sua mão e pediu q esticasse o indicador. Portanto, foi o próprio Psicólogo quem enviou o modelo de Máquina do Tempo para sua interminável viagem. Todos nós vimos a alavanca se mexendo. Tenho certeza de que não houve truques. Um sopro de vento fez a chama da lâmpada se mexer. Uma das velas sobre a lareira se apagou, e a pequena máquina balançou, tornou-se indistinta, foi vista como um fantasma por um segundo, como um redemoinho de bronze e marfim brilhando levemente, e desapareceu, evaporou-se! Exceto pela lâmpada, a mesa estava vazia.

Todos ficaram em silêncio por um momento. Filby soltou um xingamento.

O Psicólogo recuperou-se do estupor e rapidamente olhou embaixo da mesa. Vendo aquilo, o Viajante do Tempo riu animado.

– E então? – perguntou repetindo a última pergunta do Psicólogo e, levantando-se, caminhou até o frasco com tabaco em cima da lareira e, de costas para nós, começou a encher seu cachimbo.

Nós nos olhamos.

– Escute – disse o Médico –, você está falando sério sobre isso? Você realmente acredita que aquela máquina viajou no tempo?

– Com certeza – disse o Viajante do Tempo, abaixando-se para usar a brasa e acender o cachimbo. Então virou-se, com o cachimbo aceso, e olhou para o rosto do Psicólogo. (Para não parecer fora de si, o Psicólogo pegou um charuto, mas tentou acendê-lo sem cortar a ponta.)

– Além do mais, tenho uma máquina grande quase terminada lá – disse, indicando o laboratório – e, quando estiver pronta, pretendo eu mesmo fazer uma viagem.

– Você está dizendo que aquela máquina viajou para o futuro? – perguntou Filby.

– Para o futuro ou para o passado, não tenho certeza para qual deles.

Após um intervalo, o Psicólogo teve uma inspiração:

– Deve ter ido para o passado se foi a algum lugar – disse.

– Por quê? – perguntou o Viajante do Tempo.

– Porque eu presumo que não tenha se movido no espaço, e se viajou para o futuro, ainda estaria aqui todo esse tempo, já que deve ter viajado pelo tempo presente.

– Mas... – eu disse – se a máquina viajou ao passado, estaria visível quando viemos a esta sala, e na última quinta-feira quando estivemos aqui, e na quinta-feira antes dessa, e assim por diante.

– Fortes argumentações – observou o Prefeito Provincial, com um ar de imparcialidade, virando-se na direção do Viajante do Tempo.

– Nem um pouco – disse o Viajante do Tempo, dirigindo-se em seguida ao Psicólogo. – Você entende. E pode explicar isso. É uma representação abaixo do limiar, uma representação diluída.

– Certamente – disse o Psicólogo, tranquilizando-nos. – É um argumento simples da psicologia e eu deveria ter pensado nisso. É muito óbvio e explica o paradoxo de forma maravilhosa. Não podemos ver nem apreciar essa máquina, da mesma maneira que não podemos ver uma roda girando ou uma bala voando pelo ar. Se ela está viajando através do tempo cinquenta ou cem vezes mais rápido do que nós, se percorre um minuto enquanto percorremos um segundo, a impressão criada será de apenas um quinquagésimo ou um centésimo do que faria se não estivesse viajando no tempo. Isso é muito óbvio – ele passou a mão no lugar onde a máquina tinha estado. – Podem ver? – disse sorrindo.

Sentamos e encaramos a mesa vazia por quase um minuto. Então o Viajante do Tempo perguntou o que pensávamos sobre tudo aquilo.

– Soa plausível esta noite – disse o Médico –, mas espere até amanhã. Espere pelo bom senso que vem com a manhã.

– Vocês gostariam de ver a Máquina do Tempo? – perguntou o Viajante do Tempo. E assim, pegando a lâmpada, guiou o caminho pelo longo corredor, cheio de correntes de ar, até seu laboratório. Lembro-me vividamente da luz trêmula; de sua cabeça, grande e esquisita, em silhueta; da dança das sombras; de como todos nós o seguimos, intrigados, mas incrédulos; e de como, no laboratório, contemplamos uma edição muito maior do pequeno mecanismo que vimos desaparecer bem diante dos nossos olhos. Partes eram de níquel, partes de marfim e outras certamente haviam sido lixadas ou serradas de cristal de rocha. A máquina estava praticamente pronta, mas as barras de cristal trançadas encontravam-se inacabadas sobre a bancada ao lado de algumas folhas com desenhos, e eu peguei uma para dar uma olhada melhor e parecia quartzo.

– Ouça – disse o Médico –, você está falando sério? Ou isto é uma brincadeira, igual o fantasma que nos mostrou no último Natal?

– Nesta máquina – disse o Viajante do Tempo segurando a lâmpada no alto –, pretendo explorar o Tempo. Está claro? Nunca fui tão sério sobre algo em toda a minha vida.

Nenhum de nós sabia exatamente como entender aquilo.

Notei o olhar de Filby por cima do ombro do Médico, e ele piscou para mim de maneira séria.

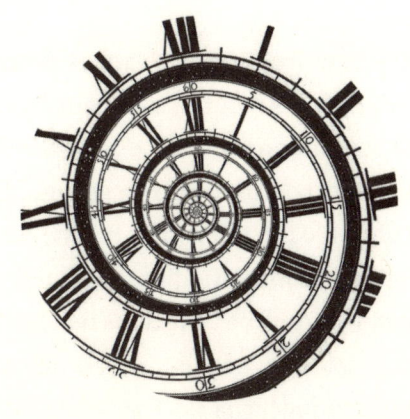

O VIAJANTE DO TEMPO RETORNA

Acredito que, naquela época, nenhum de nós acreditava muito na Máquina do Tempo. O fato é que o Viajante do Tempo era um daqueles homens espertos demais para ter credibilidade: você nunca sentia que sabia tudo sobre ele, sempre havia a suspeita de que existia algo reservado e alguma engenhosidade escondida por trás de sua lúcida franqueza. Se fosse Filby quem tivesse nos mostrado o modelo e explicado o assunto usando as mesmas palavras do Viajante do Tempo, teríamos ficado muito menos céticos, pois teríamos percebido seus motivos, até mesmo um açougueiro poderia entendê-lo, mas o Viajante do Tempo tinha muito mais que do um toque de capricho entre suas características, e desconfiávamos dele. Coisas que teriam tornado famoso um homem muito menos esperto pareciam truques em suas mãos. É um erro fazer as coisas tão facilmente. As pessoas sérias que acreditavam nele nunca tiveram muita certeza a respeito do seu comportamento, de alguma maneira, elas estavam conscientes de que confiar suas reputações de julgamento a ele era o mesmo que mobiliar uma creche com porcelana. Acredito que nenhum de nós falou muito sobre viagem no tempo no intervalo entre essa quinta-feira e a seguinte, embora suas estranhas potencialidades corressem, sem dúvida, pelas nossas mentes: sua plausibilidade, isto é, aquilo em que era difícil de acreditar na prática, e as possibilidades curiosas de anacronismo e de absoluta confusão que ela sugeria. Da minha parte, eu estava particularmente preocupado com o truque do modelo. Lembro-me de discutir a respeito com o Médico, com quem me encontrei na sexta-feira, na Sociedade Linneana[3]. Ele disse que havia visto algo semelhante em Tubingen, e deu muita ênfase na vela que se apagou. Mas não soube explicar como o truque havia sido realizado.

Na quinta-feira seguinte, voltei a Richmond; acredito que eu era um dos visitantes mais frequentes do Viajante do Tempo, mas, por chegar atrasado, encontrei quatro ou cinco homens já reunidos na sala. O Médico estava sentado em frente ao fogo com um pedaço de papel em uma das mãos e seu relógio em outra. Procurei ao redor pelo Viajante do Tempo.

– Agora são sete e meia – disse o Médico. – Acho melhor jantarmos...

– Onde ele está? – perguntei, mencionando o nome de nosso anfitrião.

– Você acabou de chegar? É estranho demais. Deve ter ficado detido em algum lugar. Ele me pede neste bilhete que eu sirva o jantar às sete se ele não tiver retornado. Disse que explicará quando chegar.

– É uma pena deixar o jantar estragar – disse o Editor de um famoso jornal diário. Em seguida, o Doutor tocou a campainha.

O Psicólogo era a única pessoa além de mim e do Doutor que havia comparecido ao jantar anterior. Os outros homens eram Blank, o Editor já mencionado, um certo jornalista e um outro homem, quieto e tímido, de barba, que eu não conhecia e que, até onde pude perceber, não abriu a boca a noite toda. Havia uma certa especulação à mesa de jantar sobre a ausência do Viajante do Tempo, e sugeri uma viagem no tempo, em tom de brincadeira. O Editor quis que explicássemos para

---

3 *Linnean Society of London* (em inglês) é uma sociedade científica londrina voltada ao estudo e à divulgação das ciências naturais. (N.T.)

ele, e o Psicólogo deu um relato inexpressível do "engenhoso paradoxo e incrível truque de ilusionismo" que havíamos testemunhado naquele dia. Ele estava no meio do relato quando a porta do corredor se abriu devagar e sem fazer barulho. Eu estava sentado de frente à porta e fui o primeiro a ver.

– Olá! – eu disse. – Finalmente! – A porta se abriu mais e o Viajante do Tempo ficou diante de nós. Dei um grito de surpresa.

– Meu Deus! O que aconteceu? – perguntou o Médico, que o viu logo depois. Então todos na mesa se viraram em direção à porta.

Sua situação era espantosa. O casaco estava coberto de poeira e sujeira e manchado de verde nas mangas, seu cabelo bagunçado, parecendo mais grisalho do que antes, talvez pela poeira ou porque sua cor estava mais desbotada. Seu rosto estava terrivelmente pálido, havia um corte marrom no queixo, quase cicatrizado, e sua expressão estava abatida e esgotada, como se por intenso sofrimento. Por um momento, hesitou na entrada, como se a luz o ofuscasse e então entrou na sala. Ele mancava, parecendo um mendigo com pés doloridos que jamais havíamos visto. Nós o encaramos em silêncio, esperando que ele falasse.

Sem dizer uma palavra, veio dolorosamente até a mesa e esticou a mão em direção ao vinho. O Editor encheu uma taça com champanhe e a empurrou em sua direção. Ele a esvaziou e isso pareceu lhe fazer bem: olhou ao redor da mesa e a sombra do velho sorriso brilhou em seu rosto.

– O que aconteceu com você? – perguntou o Doutor. O Viajante do Tempo pareceu não escutar.

– Não deixem que eu atrapalhe vocês – disse, um pouco hesitante. – Estou bem – o Viajante parou, segurou a taça para que a enchessem novamente, e esvaziou em um gole. – Isso é bom – ele disse. Seus olhos ficaram mais brilhantes e um leve rubor apareceu em suas bochechas.

Ele nos olhou com uma certa aprovação apática e então caminhou pela sala quente e confortável. Depois falou de novo, como se procurasse as palavras certas.

– Vou me lavar e trocar de roupa, em seguida descerei e explicarei tudo. Guarde um pouco de carneiro para mim. Estou faminto e louco por um pouco de carne.

Olhou para o Editor, que não era um visitante frequente, e esperou que ele estivesse bem. O Editor esboçou uma pergunta.

– Responderei em breve – disse o Viajante do Tempo. – Me sinto um pouco estranho, mas ficarei melhor em um minuto.

Ele abaixou a taça e caminhou em direção à porta da escada. Novamente, notei o andar manco e o som acolchoado de seus passos e, levantando-me de onde estava, observei seus pés enquanto ia embora, pois estava sem sapatos e usava meias esfarrapadas, manchadas de sangue. A porta fechou-se atrás dele. Pensei em segui-lo, mas lembrei-me do quanto ele detestava ser motivo de preocupação e por um minuto talvez, minha mente se distraiu. E então, ouvi o Editor dizer "surpreendente comportamento de um cientista eminente", pensando, como de costume, em manchetes de jornais. E isto trouxe minha atenção de volta à brilhante mesa de jantar.

– Que tipo de jogo é esse? – perguntou o Jornalista. – Ele quer brincar de ser um mendigo amador? Não estou entendendo.

Troquei olhares com o Psicólogo e li a minha própria interpretação em seu rosto. Pensei no Viajante do Tempo mancando dolorosamente lá em cima. Acredito que ninguém mais percebeu que ele mancava.

O primeiro a se recuperar completamente da surpresa foi o Médico, que tocou o sino pedindo um prato quente; o Viajante do Tempo odiava ter empregados esperando durante o jantar. Com isso, o Editor virou-se para os talheres resmungando, e o Homem Silencioso o imitou. O jantar recomeçou. Durante um tempo, a conversa se resumiu a exclamações e suspiros de deslumbramento. E então, o Editor não conteve sua curiosidade.

– Nosso amigo aumenta sua renda varrendo ruas? Ou ele tem fases de Nabucodonosor[4]? – o Editor perguntou.

---

4 Refere-se a Nabucodonosor II, famoso rei mencionado na Bíblia e punido por Deus com insanidade. (N.T.)

– Tenho certeza que tem relação com a Máquina do Tempo – eu disse, referindo-me ao relato do Psicólogo em nossa reunião anterior. Os novos convidados estavam genuinamente incrédulos. O Editor levantou algumas questões:

– O que foi essa viagem no tempo? Um homem não poderia ficar coberto de poeira por rolar em um paradoxo, poderia? – E quando a ideia veio, recorreu à ironia. – Não haveria escovas de limpar roupas no Futuro?

O Jornalista também não acreditava de maneira alguma e se juntou ao Editor no caminho mais fácil de tornar tudo aquilo ridículo. Ambos eram o novo tipo de jornalista: homens jovens, irreverentes e alegres.

– Nosso correspondente especial no dia depois de amanhã relata... – o Jornalista dizia, ou melhor, gritava quando o Viajante do Tempo retornou. Ele vestia roupas comuns e nada, exceto o olhar abatido, restava da aparência anterior que havia me surpreendido.

– Olha – disse o Editor de maneira cômica –, esses sujeitos aqui dizem que você esteve viajando para o meio da semana que vem! Conte-nos tudo sobre o pequeno Rosebery[5], sim? Quanto você quer pela informação?

O Viajante do Tempo dirigiu-se ao lugar reservado para ele sem dizer uma palavra. Deu um sorriso calmo, como de costume.

– Onde está o meu carneiro? – perguntou. – Que prazer é poder enfiar o garfo em um pedaço de carne de novo!

– E a história? – resmungou o Editor.

– Que se dane a história – disse o Viajante do Tempo. Eu quero algo para comer. Não direi uma palavra até ter um pouco de peptona nas minhas artérias, obrigado. O sal também, por favor.

– Uma palavra – eu disse. – Você estava viajando no tempo?

– Sim – disse o Viajante do Tempo, com a boca cheia e acenando com a cabeça.

---

5   Archibald Primrose, o Conde de Rosebery, era o primeiro-ministro inglês na época da publicação e também era dono dos cavalos de corrida que venceram o Derby de Epsom em 1894 e 1895. Neste caso, o Editor está querendo saber se o Viajante do Tempo tem dicas para que ele possa apostar no vencedor. (N.T.)

– Pago um xelim por linha pelo relato integral – disse o Editor.

O Viajante do Tempo empurrou sua taça em direção ao Homem Silencioso e a tocou com a unha e com isso, o Homem, que o encarava, sobressaltou-se e começou a lhe servir vinho. O resto do jantar foi desconfortável. Da minha parte, posso dizer que as questões continuavam chegando aos meus lábios, e me atrevo a dizer que acontecia o mesmo com os outros. O Jornalista tentava aliviar a tensão contando anedotas. O Viajante do Tempo direcionou sua atenção ao jantar e parecia estar faminto. O Médico fumou um cigarro e observou o Viajante do Tempo com os olhos semicerrados. O Homem Silencioso parecia mais desajeitado do que o normal e bebia champanhe com regularidade e determinação por puro nervosismo. Por fim, o Viajante do Tempo empurrou o prato e nos olhou.

– Acredito que devo pedir desculpas – ele disse. – Eu estava simplesmente faminto. Tive uma aventura surpreendente. – Alcançou um charuto com a mão e cortou a ponta. – Mas vamos à sala para fumar. É uma história muito longa para se contar perto de pratos gordurosos.

E tocando o sino para avisar os empregados, guiou o caminho até a sala ao lado.

– Você contou ao Blank, ao Dash e ao Chose sobre a máquina? – perguntou-me, encostando-se em sua poltrona e nomeando os três novos convidados.

– Mas a coisa toda é um mero paradoxo – disse o Editor.

– Não posso discutir essa noite. Não me importo em contar a história a vocês, mas não posso discutir. Eu vou – continuou – contar a história do que aconteceu comigo, se assim desejarem, mas devem evitar interrupções. Eu quero falar sobre isso, desesperadamente. A maior parte soará como mentira. Que seja! É verdade, cada palavra, cada parte. Eu estava no meu laboratório às quatro horas e desde então... vivi oito dias... dias como jamais nenhum ser humano viveu antes. Estou exausto, mas não dormirei até ter contado tudo a vocês. Depois dormirei, mas sem interrupções! Está combinado?

– Sim – disse o Editor, e o resto de nós repetiu.

E com isso o Viajante do Tempo começou sua história como reportarei a seguir. Antes de tudo, ele se encostou na poltrona e falou como um homem cansado e depois ficou mais animado. Ao escrever, sinto a profunda inadequação da caneta e da tinta e, acima de tudo, minha própria inadequação, para expressar a qualidade da história. Suponho que você, leitor, lê muito atentamente, mas não pode ver o rosto sincero e pálido daquele que conta a história no círculo brilhante da pequena lâmpada e nem ouvir a entonação de sua voz. Você não pode saber como sua expressão acompanhou os rumos da história. A maioria de nós, ouvintes, estava na sombra, porque as velas da sala não haviam sido acesas. Apenas o rosto do Jornalista e as pernas do Homem Silencioso, do joelho para baixo, estavam iluminadas. No começo, olhávamos uns para os outros de vez em quando, mas após algum tempo paramos de fazer isso e apenas olhávamos para o rosto do Viajante do Tempo.

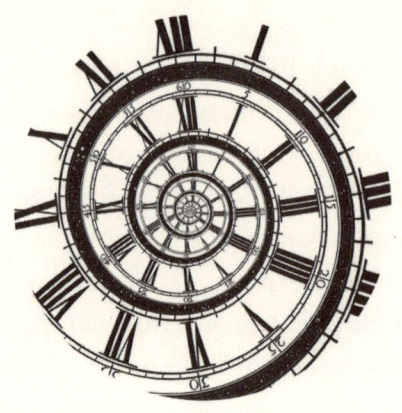

VIAGEM NO TEMPO

– Comentei com alguns de vocês quinta-feira passada a respeito dos princípios da Máquina do Tempo e até a mostrei, incompleta, na oficina. É onde ela está agora, um pouco desgastada da viagem, uma das barras de marfim está rachada e uma parte de metal entortou, mas o resto parece estar perfeito. Esperava terminá-la na sexta-feira, mas no dia, quando quase tudo estava encaixado, descobri que uma das barras de níquel era alguns centímetros mais curta e eu precisaria refazê-la. Por isso, a máquina não estava pronta até esta manhã. Foi às dez da manhã de hoje que a primeira de todas as Máquinas do Tempo começou sua carreira. Dei uma última olhada nela, testei todos os parafusos novamente, coloquei mais uma gota de óleo na haste de quartzo e me acomodei no assento. Acredito que um suicida que segura uma arma apontada para a cabeça sente o mesmo fascínio sobre o que virá depois que eu senti naquele momento. Apoiei uma das mãos na alavanca de partida e a outra na alavanca de parada, pressionei a primeira e quase imediatamente a segunda. Ela pareceu cambalear, senti uma sensação de queda como quando temos pesadelos e, olhando ao redor, vi o laboratório exatamente como antes. Teria acontecido algo? Por um momento suspeitei que minha mente havia me enganado. Então, observei o relógio. Um momento antes, como pareceu, ele marcava um ou dois minutos depois da dez. Agora eram quase três e meia!

Segurei a respiração, cerrei os dentes, agarrei a alavanca de partida com ambas as mãos e parti com um baque. O laboratório ficou embaçado e depois tudo se apagou. A senhora Watchett entrou e se dirigiu, aparentemente sem me ver, à porta do jardim. Suponho que levou um minuto ou mais para atravessar o lugar, mas para mim pareceu que ela disparou pela sala como um foguete. Pressionei a alavanca até a posição mais extrema. A noite veio como se desligassem uma lâmpada, e em outro momento o amanhã chegou. O laboratório ficou embaçado outra vez e cada vez mais desfocado. A noite do amanhã chegou escura, depois era dia de novo, noite, dia, rápido demais. Um murmúrio feito um turbilhão chegou aos meus ouvidos e uma estranha confusão silenciosa caiu sobre minha mente.

Receio não poder expressar as sensações peculiares de se viajar no tempo, pois elas são extremamente desagradáveis. Há uma sensação igual a de estar em uma montanha-russa, quando se é empurrado para a frente a uma velocidade muito alta. Eu senti também a mesma antecipação apavorante de uma iminente colisão. Quando entrei no ritmo, a noite seguiu o dia como o bater de uma asa negra. A imagem ofuscada do laboratório pareceu sumir, e vi o sol saltando com rapidez pelo céu, pulando a cada minuto e cada minuto marcava um dia. Imaginei que o laboratório havia sido destruído e eu tinha sido lançado no ar livre. Tinha a leve impressão de estar em um andaime, mas eu já estava indo rápido demais para estar consciente de qualquer coisa que se movia. A lesma mais lenta que já se arrastou corria muito rápido para mim. A sucessão cintilante de escuridão e luminosidade era excessivamente dolorosa aos olhos. E então, na escuridão intermitente, vi a lua passando rapidamente por suas fases, de lua nova até lua cheia, e tive um sutil vislumbre das estrelas que estavam em volta. Enquanto eu continuava, ainda ganhando velocidade, a palpitação da noite e do dia se fundiram em um cinza permanente. O céu assumiu um maravilhoso tom de azul, uma luminosidade esplêndida como aquela do crepúsculo; o sol tornou-se um rastro de fogo, um arco brilhante, no espaço; a lua tornou-se uma faixa flutuante desbotada; e eu não conseguia mais ver as estrelas, salvo um círculo brilhante que piscava no azul do céu de vez em quando.

A paisagem era enevoada e indefinida. Eu ainda estava na encosta sobre a qual esta casa agora se encontra, e o topo surgia sobre mim, cinza e indistinto. Vi árvores crescendo e transformando-se como sopros de vapor, ora marrons, ora verdes. Elas cresceram, amadureceram, enfraqueceram e morreram. Vi construções enormes surgirem e depois desaparecerem como sonhos. Toda a superfície da Terra parecia mudada, derretendo e escoando sob meus olhos. Os pequenos ponteiros nos mostradores que registravam minha viagem giravam cada vez mais rápido. Logo notei que a faixa do sol se movia para cima e para baixo, de solstício a solstício, em um minuto ou menos, e consequentemente meu ritmo era de mais de um ano por minuto. E minuto por minuto, a neve branca cobria o mundo e desaparecia e era seguida pelo verde brilhante e breve da primavera.

As sensações desagradáveis do começo eram menos intensas agora. Elas se convergiram finalmente em um tipo de euforia histérica. Observei, aliás, um balanço desajeitado da máquina, para a qual eu não tinha uma explicação, mas minha mente estava muito confusa para atentar a isso, então, com uma certa loucura crescendo dentro de mim, lancei-me no futuro. No início, nem pensei em parar, não pensei em nada além dessas novas sensações, mas logo uma série de impressões novas surgiu na minha mente, uma certa curiosidade e, com isso, um certo medo, até que finalmente elas tomaram conta de mim. Que estranhos progressos da humanidade, que maravilhosos avanços da nossa sociedade rudimentar, pensei, poderiam aparecer quando eu olhasse de perto o mundo confuso que corria e flutuava diante dos meus olhos.

Vi arquiteturas grandes e esplêndidas surgirem sobre mim, muito maiores do que qualquer construção do nosso tempo, que pareciam ser feitas de brilho e névoa. Vi um verde mais vivo subir a encosta e permanecer ali, sem a interrupção do inverno. Mesmo através do véu da minha confusão, a Terra parecia bonita. E então, comecei a pensar no problema da parada.

O risco peculiar estava na possibilidade de encontrar alguma matéria no espaço que eu e a máquina ocupávamos. Enquanto eu viajava em alta velocidade através do tempo, isso mal importava. Eu estava, como se diz, atenuado, deslizava como vapor através das frestas de matérias, mas parar envolvia me incorporar, molécula por molécula, em qualquer coisa que se colocasse no meu caminho. Significava colocar meus átomos em um contato tão íntimo com os átomos dos obstáculos que uma profunda reação química, possivelmente uma explosão de longo alcance, resultaria disso e me arremessaria junto com minha máquina para fora de todas as dimensões possíveis, para dentro do desconhecido. Essa possibilidade me ocorreu diversas vezes enquanto eu construía a máquina, mas depois aceitei isso alegremente como um risco esperado, um risco que um homem deve correr. No entanto, agora que o risco era inevitável, eu não via a situação do mesmo jeito alegre. O fato é que, inconscientemente, a absoluta estranheza de tudo aquilo, o forte balanço e a oscilação da máquina, e acima de tudo, o sentimento prolongado de queda, tinham abalado meus nervos. Disse a mim mesmo que nunca poderia parar, mas em um acesso de petulância, resolvi parar imediatamente. Como um tolo impaciente, eu puxei a alavanca, no mesmo instante, a máquina começou a cambalear e fui arremessado no ar de ponta-cabeça.

Havia um som de estrondo de trovões nos meus ouvidos. Posso ter ficado atordoado por um momento. Uma impiedosa chuva de granizo assoviava ao meu redor e eu estava sentado no gramado macio, de frente para a máquina tombada. Tudo ainda parecia cinza, mas agora percebia que a confusão nos meus ouvidos havia acabado, então olhei ao meu redor e estava no que parecia ser um pequeno gramado em um jardim, cercado por arbustos de rododendros. Notei que suas flores roxas e violetas caíam devido à violência da chuva. O granizo ricocheteava e dançava suspenso em uma pequena nuvem sobre a máquina e se desfazia em fumaça. Em instantes fiquei completamente encharcado: "Belo jeito de receber um homem que viajou inúmeros anos para ver você", eu disse.

Percebi então que tolo eu era por continuar me molhando, então eu me levantei e olhei ao redor. Uma figura colossal, esculpida no que parecia ser uma pedra branca, emergia indistinta além dos rododendros através do temporal, mas todo o resto do mundo estava invisível.

Minhas sensações seriam difíceis de descrever. Conforme as colunas de granizo ficavam mais fracas, pude ver a figura branca com maior nitidez. Era muito grande, a ponto de uma bétula branca apenas lhe alcançar os ombros. Era de mármore branco, na forma de algo parecido com uma esfinge alada, mas as asas, em vez de serem presas às costas, eram soltas e pareciam flutuar. O pedestal, me parecia, que era de bronze e estava coberto de verdete. Por sorte, o rosto estava voltado para mim, os olhos cegos pareciam me observar e havia a sombra de um sorriso fraco em seus lábios. Estava muito desgastada pelo tempo e passava a impressão desagradável de uma doença. Permaneci olhando para ela por um tempo, meio minuto, ou talvez meia hora. Parecia avançar e recuar conforme o granizo que caía se tornava mais denso ou mais fino. Por fim, desviei meu olhar da figura por um momento e vi que a cortina de granizo diminuía e que o céu brilhava com a possibilidade do sol.

Olhei de novo para a figura branca agachada e a total loucura da minha viagem recaiu sobre mim. O que poderia aparecer quando a cortina enevoada fosse completamente retirada? O que poderia ter acontecido com os homens? E se a crueldade tivesse se tornado uma paixão compartilhada? E se, nesse intervalo, a raça humana tivesse perdido sua humanidade e se transformado em algo desumano, insensível e totalmente poderoso? Eu poderia parecer algum tipo de animal selvagem do velho mundo, só que mais assustador e repugnante por conta desse aspecto humano que eu ainda mantinha, uma criatura imunda, pronta para ser morta.

    Eu começava a ver outras formas imensas, prédios enormes com parapeitos complexos e colunas altas, com uma encosta arborizada que rastejava até mim através da chuva que diminuía. Fui tomado por um pânico aterrorizante. Virei-me desesperado para a Máquina do Tempo e me esforcei para reajustá-la e, enquanto fazia isso, os raios do sol atravessaram a tempestade. O temporal cinza foi varrido e desapareceu como se fosse a roupa de um fantasma. Acima de mim, no azul intenso de um céu de verão, alguns resquícios de nuvens rodopiaram em direção ao nada. Os prédios enormes erguiam-se nítidos e distintos, brilhando com a umidade do aguaceiro e refletindo o branco do granizo não derretido que estava empilhado pelo caminho. Eu me senti nu em um mundo estranho, como um pássaro talvez se sente ao voar no céu aberto sabendo que o gavião acima dele está pronto para atacá-lo. Meu medo tornou-se loucura, fiz uma pausa para respirar, cerrei os dentes e, novamente, lutei de maneira feroz com a máquina, usando todo o corpo, por fim ela cedeu sob meu ataque desesperado e consegui virá-la. A máquina acertou meu queixo violentamente, com uma das mãos no assento e outra na alavanca, e ofegando de maneira pesada, eu me esforçava para sentar nela novamente.

    Porém com a recuperação de um refúgio instantâneo minha coragem retornou. Eu olhava com mais curiosidade e menos medo para esse mundo do futuro remoto. Em uma abertura circular, no alto do muro de uma casa próxima, vi um grupo de figuras vestidas com robes caros e macios, eles também haviam me visto e seus rostos olhavam em minha direção.

    Então ouvi vozes se aproximando de mim, por entre os arbustos da Esfinge Branca estavam as cabeças e os ombros de homens correndo. Um deles surgiu no caminho que levava diretamente ao pequeno gramado sobre o qual eu estava com a minha máquina. Era uma criatura pequena, devia medir um metro e vinte de altura, vestida com uma túnica roxa amarrada à cintura por um cinto de couro. Calçava sandálias ou botas com abertura nos dedos, não consegui distinguir bem, suas pernas estavam descobertas até o joelho e sua cabeça também estava exposta. Ao notar isso, percebi pela primeira vez como o ar estava quente.

Entretanto, ele me impressionou por ser uma criatura muito bonita e elegante, mas indescritivelmente frágil. Seu rosto corado me lembrava o mais belo tipo de tuberculoso, com aquela beleza caótica da qual costumamos ouvir falar. Ao vê-lo subitamente recuperei minha confiança e tirei as mãos da máquina.

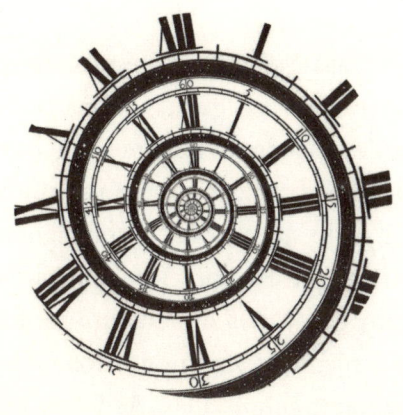

NA ERA DE OURO

– Em outro momento, estávamos frente a frente, eu e aquela frágil criatura do futuro. Ele veio em minha direção e sorriu me olhando nos olhos. A ausência de qualquer sinal de medo em seu comportamento me atingiu de uma vez. Depois ele se virou para outros dois que o estavam seguindo e se dirigiu a eles em uma língua estranha, que soava líquida e doce.

Havia outros vindo e logo um pequeno grupo, de talvez oito ou dez dessas criaturas requintadas, estava reunido ao meu redor e um deles se dirigiu a mim. Veio à minha mente, por mais estranho que pareça, que minha voz era muito áspera e grave para eles. Então balancei minha cabeça e, apontando para meus ouvidos, balancei novamente, ele deu um passo à frente, hesitou e então tocou minha mão. Em seguida, senti outros pequenos tentáculos macios nas minhas costas e ombros. Eles queriam ter certeza de que eu era real e não havia nada de alarmante nisso. Na verdade, havia algo nessas pessoinhas bonitas que inspiravam confiança, uma delicadeza amável, uma certa tranquilidade infantil. Além disso, pareciam tão frágeis que eu me imaginava capaz de derrubar uma dúzia deles de uma vez só, como pinos de boliche. Então, fiz um movimento repentino para alertá-los quando vi suas mãozinhas rosadas tocando a Máquina do Tempo. Felizmente, depois, quando não era muito tarde, pensei sobre o perigo que até então tinha esquecido e, alcançando as barras da máquina, desparafusei as pequenas alavancas que a colocariam em movimento e as guardei no bolso e então me virei novamente para tentar descobrir o que eu poderia fazer em relação à comunicação.

Olhando mais de perto suas feições, notei algumas particularidades no tipo de beleza deles, que era parecido com porcelana de Dresden[6]. Os cabelos, que eram cacheados de maneira uniforme, chegavam ao pescoço, não havia o menor vestígio de pelos no rosto e suas orelhas eram extraordinariamente minúsculas. As bocas eram pequenas, com lábios de um vermelho vivo e queixos finos e pontudos, os olhos eram grandes e suaves e, pode parecer egocêntrico de minha parte, mas me pareceu que havia uma certa falta de interesse, que era o que eu esperava encontrar ali.

Como não fizeram esforço algum para se comunicar comigo, mas apenas permaneceram ao redor rindo e falando em murmurinhos suaves entre eles, eu comecei a conversa. Apontei para a Máquina do Tempo e para mim mesmo. Depois, hesitante por um momento sobre como dizer Tempo, apontei para o sol e ao mesmo tempo, uma curiosa criatura, vestida alegremente de roxo e branco, observou meu gesto e me surpreendeu ao imitar o som de um trovão.

Por um momento eu fiquei surpreso, embora a importância do seu gesto fosse bem óbvia. A pergunta havia surgido em minha mente de modo repentino: essas criaturas eram tolas? Vocês dificilmente podem entender como isso me ocorreu. Veja bem, sempre antecipei que as pessoas do ano 802000 estariam incrivelmente à frente de nós em conhecimento, artes, em tudo. De repente, um deles me fez uma pergunta que indicava que seu nível intelectual era o mesmo de uma criança de 5 anos. Ele me perguntou se eu tinha vindo do sol em uma tempestade e isso contrariava o julgamento que eu havia feito baseado em suas roupas, seus corpos frágeis e suas feições delicadas. Uma sensação de

---

6 Primeiro tipo de porcelana europeia feita para competir com a porcelana chinesa, composta de caulim, feldspato e quartzo. (N.T.)

decepção passou pela minha mente. Por um momento, senti que havia criado a Máquina do Tempo em vão.

Eu acenei com a cabeça, apontei para o sol e dei a eles uma interpretação tão vívida de um trovão que os assustei. Todos eles recuaram um passo ou mais e fizeram uma reverência. Então, um deles veio em minha direção sorrindo, carregando um colar de lindas flores que eu nunca havia visto e colocou no meu pescoço. A ideia foi recebida com aplausos melodiosos e agora estavam todos correndo para as flores, e as lançavam sobre mim, rindo, até eu estar quase sufocado pelas flores. Você que nunca as viu mal pode imaginar que flores delicadas e maravilhosas os incontáveis anos de cultivo criaram. Alguém sugeriu que esse jogo continuasse no edifício mais próximo e então fui guiado passando pela esfinge de mármore branco, que parecia ter me observado o tempo todo com um sorriso diante da minha surpresa, em direção a um grande prédio cinza de pedra desgastada. Conforme seguia com eles, a memória das minhas confiantes expectativas sobre uma posteridade profundamente séria e intelectual surgiu, com alegria, em minha mente.

O prédio possuía uma entrada enorme e era de dimensões colossais. Eu, naturalmente, estava mais ocupado com a multidão de pessoinhas que aumentava e com os grandes portais que se abriam diante de mim, sombrios e misteriosos. Minha impressão geral sobre o mundo que eu via por cima de suas cabeças era de uma confusão de flores e arbustos, um jardim há muito negligenciado, mas livre de ervas daninhas. Vi diversas espigas altas de estranhas flores brancas, com pétalas enceradas medindo cerca de trinta centímetros. Elas cresciam dispersas, como se selvagens, por entre os arbustos variados, mas, como eu disse, não as examinei de perto nesse momento. A Máquina do Tempo foi abandonada no gramado entre os rododendros.

O arco da porta de entrada era ricamente esculpido, mas não pude observar o entalhe muito de perto, embora pensasse ter visto algumas referências a antigas decorações fenícias enquanto passava por ali, além de perceber que elas estavam muito destruídas e desgastadas pelo tempo. Várias outras pessoas vestidas com roupas brilhantes vieram ao meu encontro na porta. E assim entrei, vestido com roupas sujas e típicas do século XIX, parecendo grotesco o suficiente, com um colar de flores, cercado por uma massa turbulenta de robes de cores suaves e corpos brancos brilhantes, em um melodioso redemoinho de risadas e conversas.

A grande porta de entrada se abria para um salão proporcionalmente grande, pintado de marrom. O teto estava nas sombras e as janelas, que ou tinham vidraças coloridas ou não tinham vidraça alguma, permitiam a entrada de uma luz fraca. O chão era feito de enormes blocos de algum tipo de metal branco rígido, não eram placas nem chapas, eram blocos. E o chão estava tão gasto, imagino que pelo ir e vir das gerações passadas, que os caminhos mais utilizados pareciam valas. Ao longo do trecho, havia inúmeras mesas feitas de pedra polida, com trinta centímetros de altura talvez e sobre elas havia vários montes de frutas. Algumas reconheci como tipos de framboesas e laranjas hipertrofiadas, mas a maioria era desconhecida.

Por entre as mesas, várias almofadas estavam espalhadas e sobre elas, os meus condutores se sentaram, gesticulando para que eu fizesse o mesmo. Sem cerimônia, eles começaram a comer as frutas com as mãos, jogando fora cascas e bagaços nas aberturas laterais da mesa. Eu não estava relutante em seguir o exemplo deles, pois estava faminto e com sede. Enquanto comia, analisei o salão com tranquilidade.

E, talvez, o que tenha me deixado mais impressionado tenha sido o visual arruinado. As janelas com vidraças manchadas, que exibiam um padrão geométrico, estavam quebradas em muitos lugares e as cortinas que chegavam ao chão estavam cobertas de poeira. E chamou minha atenção que a quina da mesa de mármore perto de mim estava quebrada. Contudo, o efeito geral era extremamente rico e pitoresco. Havia cerca de duzentas pessoas comendo no salão e a maioria delas, sentada o mais próximo que pudesse de mim, me observava com interesse, seus olhinhos brilhando sobre as frutas que comiam. Todos vestidos com o mesmo material sedoso e macio, mas resistente.

A propósito, as frutas constituíam toda sua dieta. Essas pessoas do futuro remoto eram estritamente vegetarianas e enquanto eu estivesse com eles, apesar do desejo de carne, eu tinha que ser frutívoro também. Aliás, descobri depois que cavalos, bois, ovelhas e cachorros haviam entrado em extinção. Entretanto, as frutas eram deliciosas: uma em particular, que parecia estar na estação o tempo todo em que estive lá, uma fruta farinhenta com uma casca de três lados, era incrivelmente saborosa e fiz dela minha comida favorita. No início, eu estava intrigado com todas essas frutas estranhas e também com as flores desconhecidas, mas depois comecei a perceber sua importância.

No entanto, eu estava falando sobre o meu jantar de frutas no futuro distante e assim que meu apetite foi saciado, eu decidi fazer uma tentativa decisiva de aprender a língua daqueles meus novos colegas. Era obviamente a próxima coisa a se fazer. As frutas pareciam algo conveniente para falar a respeito e, segurando uma no alto, eu comecei uma série de sons e gestos interrogativos. Eu tive muita dificuldade de expressar minha intenção. No começo, meus esforços atraíam olhares de surpresa ou risadas intermináveis, mas logo uma pequena criatura de cabelos loiros pareceu compreender minha intenção e reproduziu um nome. Eles precisavam explicar e discutir muito bem o assunto uns com os outros e as minhas primeiras tentativas de reproduzir os sons requintados da língua deles causou uma imensa e genuína, ainda que primitiva, diversão. No entanto, eu me senti como um professor no meio de crianças, porém persisti e logo havia aprendido alguns substantivos. Depois passei para os pronomes demonstrativos e aprendi até mesmo o verbo "comer". Mas era um trabalho demorado e logo as pessoinhas se cansaram e queriam fugir dos meus questionamentos. Então decidi que era melhor ter aulas em pequenas doses e quando elas estivessem com vontade. Percebi em pouco tempo que seriam realmente pequenas doses, pois nunca conheci pessoas tão preguiçosas ou que se cansassem tão rápido.

A DECADÊNCIA DA HUMANIDADE

— Uma coisa esquisita que eu logo descobri sobre os meus pequenos anfitriões era a sua falta de interesse. Eles vinham até mim ansiosos e surpresos, como crianças, mas, assim como crianças, eles logo paravam de me examinar e se afastavam atrás de outro brinquedo. O jantar e minhas primeiras tentativas de conversa terminaram e só então percebi que quase todos aqueles que me cercavam no início haviam ido embora. É estranho também como, em tão pouco tempo, eu passei a ignorar aquelas pessoinhas. Saí pelo portal para o mundo iluminado novamente assim que minha fome foi saciada. Eu continuava a encontrar mais desses homens do futuro, que me seguiam durante um tempo, conversavam e riam de mim e depois, sorrindo e gesticulando de uma maneira amigável, iam embora me deixando com meus próprios pensamentos.

A calmaria do entardecer já estava sobre o mundo quando saí do grande salão e a cena estava iluminada pela luz quente do sol que se punha. No início, as coisas eram bem confusas. Tudo era tão completamente diferente do mundo que eu conhecia, até mesmo as flores.

A Máquina do Tempo

O grande prédio do qual eu saíra estava situado na encosta do vale de um rio extenso, mas o Tâmisa havia se deslocado cerca de 1,5 km da posição atual. Decidi subir no cume de uma colina, a quase 2,5 km de distância, de onde eu poderia ter uma vista melhor deste nosso planeta no ano de 802701. Soube disso pois era a data que os mostradores indicavam na máquina.

Enquanto eu caminhava, observava cada detalhe que pudesse ajudar a explicar a condição de esplendor arruinado na qual eu encontrava o mundo, porque ele estava arruinado. Um pouco acima, na colina, havia uma grande pilha de granito, unida por blocos de alumínio, um vasto labirinto de paredes íngremes e entulhos amontoados. No meio disso, havia densos montes de plantas parecidas com flores-de-pagode, possivelmente urtigas, mas estavam tingidas de marrom nas folhas e não causavam urticária. Eram evidentemente os restos abandonados de alguma estrutura ampla, cuja finalidade eu não soube identificar. Foi nesse lugar que fui destinado a ter, tempos depois, uma experiência muito esquisita, a primeira insinuação de uma descoberta ainda estranha, mas sobre a qual falarei no momento adequado.

Olhando em volta, de um terraço no qual descansei por um tempo, de repente percebi que não havia casas pequenas. Aparentemente, as casas pequenas e suas famílias haviam desaparecido. Em meio à vegetação, por aqui e por ali, havia palacetes, mas as casas e cabanas, que eram elementos característicos da própria paisagem da Inglaterra, haviam sumido. "Comunismo", disse a mim mesmo.

E em seguida me veio outro pensamento. Olhei para a meia dúzia de criaturas que me seguiam. Então, em um instante, percebi que todas tinham a mesma roupa, o mesmo rosto delicado, sem pelos e a mesma corpulência feminina. Pode parecer estranho, talvez, que eu não tenha notado isso antes, mas tudo era tão estranho. Agora me parecia bastante claro. As pessoas do futuro eram iguais: nas roupas e em todas as diferenças físicas e de comportamento que hoje distinguem os dois sexos. E as crianças, aos meus olhos, pareciam ser miniaturas de seus pais. Julguei que as crianças daquele tempo eram extremamente precoces, pelo menos fisicamente, e encontrei depois evidências sobre essa minha opinião.

Vendo a tranquilidade e a segurança nas quais essas pessoas estavam vivendo, senti que essa semelhança entre os sexos era o que se esperaria depois de tudo. Porque a força de um homem e a delicadeza de uma mulher, a instituição da família e a diferenciação de ocupações são meras necessidades inerentes a uma era de força física. Onde a população é equilibrada e abundante, ter muitos filhos se torna uma maldição em vez de uma benção para o Estado. Onde a violência existe, mas é pouca e os filhos estão seguros, há uma menor necessidade, aliás, não há necessidade de uma família eficiente e a especialização dos sexos em referência às necessidades das crianças desaparece. Vemos o vislumbre disso até mesmo no nosso próprio tempo, mas no futuro está completo. Isso, devo lembrar a vocês, era a especulação que eu fazia naquele momento. Depois, perceberia o quão longe estava da realidade.

Enquanto eu refletia sobre essas coisas, uma pequena estrutura chamou minha atenção, parecia um poço sob uma cúpula. Pensei, momentaneamente, na excentricidade de ainda existirem poços, mas depois retomei o pensamento sobre minhas especulações. Não havia grandes prédios na parte de cima da colina e, como meus poderes de caminhada eram milagrosos, me vi sozinho pela primeira vez. Com uma estranha sensação de liberdade e aventura, cheguei ao topo da colina.

Lá encontrei um assento feito de um tipo de metal amarelo que não reconheci, corroído em alguns lugares por uma ferrugem rosada e coberto até a metade de musgo macio, com os apoios de braços moldados à semelhança de cabeças de grifos. Eu me sentei sobre o assento e apreciei a vista do nosso velho mundo sob o entardecer daquele longo dia e foi a cena mais doce e deslumbrante que já vi. O sol já havia se posto no horizonte e o Oeste era ouro flamejante, com algumas listras roxas e carmesins. Abaixo estava o vale do Tâmisa, no qual o rio se estendia como uma faixa de aço polido. Já falei sobre os grandes palacetes espalhados entre a vegetação diversa, alguns em ruínas, outros ocupados. Aqui e ali aparecia uma figura branca ou prateada no jardim gasto da Terra, aqui e ali surgia a acentuada linha vertical de alguma cúpula ou obelisco. Não havia cercas, sinais de divisões de propriedade, nem evidências de agricultura. A Terra toda havia se transformado em um jardim.

Então, observando, comecei a fazer minha interpretação sobre as coisas que havia visto. Minha interpretação se moldou naquela tarde e foi algo mais ou menos assim. (Depois descobri que era apenas meia-verdade, ou um vislumbre de uma das faces da verdade.)

Parecia que eu me encontrava em meio a uma humanidade em declínio. O pôr do sol avermelhado me fez pensar na decadência da humanidade. Pela primeira vez, comecei a perceber uma estranha consequência do esforço social no qual estamos empenhados hoje e ainda assim, pensando bem, é uma consequência bastante lógica. A força é o resultado da necessidade, a segurança gera fraqueza. O trabalho de melhorar as condições de vida, o verdadeiro processo de civilização que torna a vida mais e mais segura, havia atingido seu clímax. Uma sucessão de triunfos de uma humanidade unida ocorreu sobre a Natureza. Coisas que hoje são apenas sonhos se tornaram projetos deliberadamente executados e levados adiante. E o resultado estava diante dos meus olhos!

No final das contas, o saneamento e a agricultura de hoje ainda estão em estágio rudimentar. A ciência de nosso tempo atacou apenas uma pequena parte do campo de doenças humanas, mas, ainda assim, ela persevera em suas operações, de maneira constante e persistente. Nossa agricultura e horticultura eliminam as ervas daninhas aqui e ali e cultivam, talvez, uma mínima parte das plantas que existem, deixando que um grande número delas lute para sobreviver. Nós aprimoramos nossas plantas e animais favoritos, que são poucos, por meio de reprodução seletiva. Agora temos pêssegos melhores e mais novos, uvas sem sementes, flores maiores e mais cheirosas, raças de gado mais vantajosas. Nós os aprimoramos gradualmente, porque nossos ideais são vagos e hesitantes e nosso conhecimento é muito limitado. A própria Natureza é tímida e vagarosa em nossas mãos desajeitadas. Algum dia isso tudo será mais organizado e ainda melhor. Essa é a tendência da corrente, apesar da agitação. O mundo todo será inteligente, educado e cooperativo; as coisas se moverão mais depressa em relação à submissão da Natureza. No fim, com cuidado e sabedoria, vamos reajustar o equilíbrio da vida animal e vegetal para suprir as necessidades humanas.

Esse ajuste, devo dizer, deve ter sido feito e muito bem feito, de fato, por todo o Tempo, no espaço de Tempo através do qual minha máquina havia saltado. O ar era livre de mosquitos, a terra livre de ervas daninhas e fungos, por todo lugar, havia frutas e flores bonitas e perfumadas e borboletas brilhantes voavam aqui e ali. O ideal de medicina preventiva fora alcançado, as doenças haviam sido erradicadas, não vi nenhuma evidência de qualquer doença contagiosa durante toda minha estadia e devo dizer que até mesmo os processos de putrefação e decomposição haviam sido profundamente afetados por essas mudanças.

Triunfos sociais também haviam sido afetados. Eu vi a humanidade hospedada em esplêndidos palácios, vestidos de maneira magnífica e, ainda assim, não os vi fazendo nenhum tipo de trabalho. Não havia sinais de luta, nem social nem econômica. As lojas, as propagandas, o tráfego, todo esse comércio que constitui o corpo do nosso mundo havia desaparecido. Era natural, naquele entardecer dourado, que eu acreditasse na ideia de um paraíso social. O crescimento da população, eu deduzi, havia parado de acontecer.

No entanto, com essas mudanças de condições, vinham inevitavelmente adaptações a elas. A menos que a ciência biológica seja um acúmulo de erros, qual é a origem da inteligência e do vigor humano? Adversidade e liberdade: condições sob as quais os ativos, fortes e perspicazes sobrevivem e os fracos sucumbem, condições que valorizam a aliança leal de homens capazes, a moderação, a paciência e a decisão. E a instituição da família e as emoções que nascem disso, o zelo feroz, a ternura das crianças, a devoção parental, tudo isso encontra justificativa e apoio nos iminentes perigos que ameaçam os jovens, mas onde estão esses perigos iminentes? Há um sentimento surgindo e ele crescerá, contra o zelo conjugal, contra a maternidade feroz, contra as paixões de todo o tipo. São coisas desnecessárias agora, coisas que nos tornariam sobreviventes selvagens em uma vida refinada e agradável.

Pensei na leveza física das pessoas, na falta de inteligência e naquela quantidade enorme de ruínas e isso fortaleceu minha crença em uma conquista perfeita da Natureza, porque depois da batalha, vem o descanso. A humanidade tem sido forte, energética e inteligente, e tem usado toda sua abundante vitalidade para alterar as condições sob as quais tem vivido e então veio a reação das condições alteradas.

Sob essas novas condições de perfeito conforto e segurança, essa energia impaciente, que conosco é força, se tornaria fraqueza. Mesmo no nosso próprio tempo, certas tendências e desejos, necessários para a sobrevivência, eram fontes constantes de fracasso. A coragem física e o amor pela batalha, por exemplo, não são de grande ajuda, podem ser até obstáculos, para os homens civilizados. Em um estado de equilíbrio físico e segurança, o poder, tanto intelectual quanto físico, estaria deslocado. Por incontáveis anos, eu deduzi, não houve perigo de guerra ou violência solitária, nenhum perigo vindo de animais selvagens, nenhuma doença desgastante que exigisse constituição física forte, nenhuma necessidade de trabalho. Nesse tipo de vida, aqueles que chamamos de fracos estão tão preparados quanto os fortes e, de fato, não são mais fracos. Eles estão, na verdade, mais bem preparados, pois os fortes estariam inquietos, com muita energia e sem ter onde gastá-la. Sem dúvidas, a requintada beleza das construções que eu vi era o resultado da última explosão de energia da humanidade, agora sem propósito, antes de se adaptarem em perfeita harmonia às condições sob as quais viviam. Foi o desenvolvimento daquele triunfo que iniciou a última grande paz. Esse tem sido sempre o destino da energia quando há uma sensação de segurança: ela se volta às artes e ao erotismo, depois vêm a apatia e a decadência.

Mesmo esses ímpetos artísticos acabariam no final. Quase acabaram no Tempo que eu vi. Enfeitar-se com flores, dançar e cantar na luz do sol: foi tudo o que restou do espírito artístico. Isso e nada mais. Até isso teria fim, transformando-se em uma inatividade satisfatória. A pedra amoladeira da dor e da necessidade nos mantinha afiados, mas parecia para mim que, ali, essa pedra cruel estava quebrada.

Enquanto estava ali na escuridão que crescia, pensei que, nessa simples explicação, eu havia compreendido o problema do mundo, desvendando todo o segredo dessas pessoas maravilhosas. Provavelmente as fiscalizações que eles haviam desenvolvido para o aumento da população tiveram sucesso e seus números haviam diminuído em vez de se manterem estáveis e isso explicaria as ruínas abandonadas. Minha explicação era muito simples e muito plausível, assim como a maioria das teorias erradas.

UMA SURPRESA REPENTINA

– Enquanto eu meditava sobre esse triunfo perfeito do homem, a lua, amarela e cheia, surgiu de um excesso de luz prateada no Nordeste. As pequenas criaturas brilhantes pararam de se movimentar lá embaixo, uma coruja silenciosa rodopiou no ar e eu estremeci com o frio da noite. Decidi descer a colina e descobrir onde eu poderia dormir.

Procurei pelo edifício que eu conhecia. Então meus olhos se voltaram para a figura da Esfinge Branca sobre o pedestal de bronze, tornando-se mais nítida à medida que a luz da lua ficava mais brilhante e eu podia ver a bétula branca lhe fazendo sombra. Lá estava o emaranhado de arbustos de rododendros, escuros na luz pálida, e o pequeno gramado. Olhei para o gramado novamente. Uma dúvida acabou com a minha tranquilidade. "Não", eu disse de maneira firme para mim mesmo. "Este não é o gramado."

Mas era o gramado, pois a face branca da esfinge estava virada para ele. Vocês podem imaginar o que eu senti quando me convenci do que havia acontecido? Vocês não podem. A Máquina do Tempo havia sumido.

Fui atingido, como um tapa no rosto, pela possibilidade de perder minha própria era ou de ser abandonado nesse novo mundo estranho.

O simples pensamento me trazia uma sensação física real, pois senti como se apertassem minha garganta, impedindo-me de respirar. Em seguida, fui tomado pelo medo e desci a encosta rapidamente, dando grandes saltos. Acabei caindo e cortando o rosto, mas não perdi tempo estancando o sangue, levantei-me e continuei correndo, com ele escorrendo quente pelas minhas bochechas e queixo. Durante todo o tempo, eu dizia para mim mesmo: "Eles a moveram um pouco de lugar, a empurraram para debaixo dos arbustos para tirá-la do caminho". Contudo, eu corri com todas as minhas forças. Durante todo esse tempo, com a certeza que às vezes vem junto com o medo excessivo, eu sabia que tal afirmação era loucura, sabia que a máquina havia sido retirada do meu alcance. Minha respiração era dolorosa. Acredito que percorri a distância toda do topo da colina ao pequeno gramado, um pouco mais de 3 km, em dez minutos e eu não sou mais jovem. Xingava em voz alta, enquanto corria, a minha confiança em abandonar a máquina, ficando cada vez com menos fôlego. Eu gritava e ninguém respondia. Nenhuma criatura parecia estar se mexendo naquele mundo iluminado pela lua.

Quando cheguei no gramado, meus piores medos haviam se concretizado, pois não havia nem sinal da máquina. Eu me senti fraco e com frio quando encarei o espaço vazio entre o emaranhado de arbustos. Corri ao redor do local furiosamente, como se a máquina pudesse estar escondida em um canto e então parei de forma abrupta, colocando as mãos na cabeça. Acima de mim se erguia a esfinge, sobre o pedestal de bronze. Branca e brilhante, à luz da lua e parecia sorrir com deboche do meu desespero.

Poderia ter me consolado imaginando que as pessoinhas haviam colocado o mecanismo em algum edifício para mim, se eu não tivesse certeza da inadequação física e mental delas. Era isso o que me desesperava, a ideia de que minha máquina tivesse sumido por conta da intervenção de algum poder até então desconhecido. Porém, de uma coisa eu tinha certeza: a menos que em outra época tivessem produzido uma cópia exata, a máquina não poderia ter se movido no Tempo.

Os pontos de fixação das alavancas, cujo método explicarei depois, ao serem removidos, impediam que alguém a manipulasse dessa maneira. Ela tinha se movido e estava escondida, apenas no Espaço, mas onde ela poderia estar?

Acho que devo ter entrado em uma espécie de frenesi. Eu me lembro de correr violentamente por entre os arbustos iluminados ao redor da esfinge, assustando algum animal branco que, na luz fraca, imaginei ser um pequeno veado. Lembro também de, tarde da noite, bater nos arbustos com os punhos fechados até os nós dos meus dedos estarem cortados e sangrando por causa dos galhos quebrados e então, soluçando e delirando de angústia, entrei no grande edifício de pedra. O grande salão estava escuro, silencioso e deserto. Escorreguei no chão desnivelado e caí sobre uma das mesas de pedra malaquita, quase quebrando a perna. Acendi um fósforo e passei pelas cortinas empoeiradas sobre as quais havia falado antes.

Lá encontrei um segundo salão cheio de almofadas, sobre as quais dormiam cerca de vinte daquelas pessoinhas. Não tenho dúvidas de que eles acharam minha segunda aparição estranha demais, surgindo da escuridão silenciosa com barulhos indistintos e o crepitar e a luz do fósforo. Porque eles haviam se esquecido dos fósforos.

"Onde está minha Máquina do Tempo?", gritando como uma criança com raiva, comecei a agarrar e sacudir todos eles. Deve ter sido muito estranho para eles. Alguns riram, mas a maioria deles me olhava seriamente assustada. Quando os vi em pé ao meu redor, veio a minha mente que eu estava fazendo algo tão idiota quanto era possível fazer sob aquelas circunstâncias, tentando reviver a sensação de medo. Porque, levando em conta o comportamento deles à luz do dia, imagino que o medo também tenha sido esquecido.

Abruptamente, eu apaguei o fósforo e, derrubando uma das pessoas no caminho, corri, de forma desajeitada, pelo salão de jantar outra vez, até sair do edifício para a noite iluminada pela lua. Ouvi gritos de pavor e seus pequenos pés correndo e tropeçando de um lado para o outro. Não lembro tudo o que fiz enquanto a lua se movia pelo céu. Suponho que tenha sido a natureza inesperada da minha perda que tenha me enlouquecido. Eu me senti desesperadamente separado da minha própria espécie, um animal estranho em um mundo desconhecido. Devo ter delirado aqui e ali, gritando e culpando Deus e o Destino.

Lembro-me de sentir uma fadiga horrível, enquanto a noite de desespero passava, de procurar em lugares impossíveis, de tatear entre as ruínas iluminadas pela lua e de tocar estranhas criaturas nas sombras. E por fim, me lembro de deitar no chão próximo à esfinge e chorar miseravelmente, até mesmo com raiva da tolice de deixar a máquina sumir levando minha força. Eu não tinha nada além do sofrimento e então dormi, quando acordei já era dia e um casal de pardais estava pulando perto de mim no gramado ao meu redor.

Eu me sentei no frescor da manhã, tentando me lembrar de como eu havia chegado ali e porque eu tinha um profundo sentimento de abandono e desespero, então as coisas ficaram claras na minha mente. Com a luz clara e sensata do dia, pude encarar as circunstâncias. Vi a loucura selvagem do meu frenesi da noite anterior e pude raciocinar comigo mesmo: "Vamos supor o pior?", eu disse. "Vamos supor que a máquina esteja completamente perdida ou talvez destruída? Cabe a mim me manter calmo e paciente, aprender o jeito das pessoas, ter uma clara ideia de como ocorreu a perda e encontrar materiais e ferramentas para que, no fim, talvez, eu possa construir outra máquina". Aquela seria a minha única esperança, uma esperança tola, mas era melhor que me desesperar. E apesar de tudo, era um mundo lindo e curioso.

Mas provavelmente a máquina havia apenas sido levada. Ainda assim, eu precisava ser calmo e paciente, encontrar seu esconderijo e recuperá-la por meio da força ou da astúcia. Com isso, fiquei de pé e olhei ao redor, imaginando onde poderia me limpar, pois eu me sentia exausto, tenso e sujo da viagem. O frescor da manhã me fez querer estar limpo e eu tinha esgotado minhas emoções. Na verdade, enquanto buscava resolver minha situação, fiquei pensando sobre minha intensa agitação da noite anterior. Examinei muito bem o chão do pequeno gramado. Perdi algum tempo com questionamentos fúteis, feitos da melhor maneira que eu conseguia, às pessoinhas que passavam por ali. Todos eles foram incapazes de entender meus gestos. Alguns eram simplesmente impassíveis, outros pensavam que era uma brincadeira e riam para mim. Fiz um esforço muito grande para não os estapear no rosto, mas era um impulso tolo, mas o demônio gerado pelo medo e pela raiva cega não estava dominado e ainda queria tirar vantagem da minha perplexidade. O gramado deu uma ajuda melhor, encontrei uma ranhura marcada nele, no meio do caminho entre o pedestal da esfinge e as marcas dos meus pés onde, na chegada, eu havia lutado com a máquina tombada. Havia outros sinais de remoção por ali, com estranhas pegadas pequenas como aquelas deixadas por preguiças. Isso direcionou minha atenção para o pedestal, ele era de bronze, como já falei antes e não era construído como um único bloco, era decorado com painéis emoldurados em ambos os lados. Cheguei mais perto e bati nesses painéis, percebi que o pedestal era oco. Examinando os painéis com cuidado, vi que eles eram encaixados nas molduras. Não havia puxadores ou fechaduras, mas se os painéis fossem portas, como eu supunha, eles abriam por dentro. Uma coisa estava clara em minha mente. Não era necessário um grande esforço mental para entender que a minha Máquina do Tempo estava dentro do pedestal, mas como ela havia chegado lá era outra história.

Vi as cabeças de duas pessoas vestidas de laranja vindo em minha direção por entre os arbustos e as macieiras cheias de flores. Eu me virei sorrindo para elas e acenei, chamando-as. Elas vieram, e então, apontando para o pedestal de bronze, tentei demonstrar o meu desejo de abri-lo, porém quando fiz o primeiro gesto indicando isso, eles se comportaram de maneira muito estranha. Não sei como explicar a expressão deles a vocês. Suponhamos que usássemos um gesto impróprio e grosseiro com uma senhora, é assim que ela nos olharia. Eles se afastaram como se tivessem recebido o pior insulto possível, então tentei com o próximo sujeito, que estava vestido de branco e tinha uma aparência doce, mas obtive o mesmo resultado. De alguma maneira, seus modos me fizeram sentir vergonha de mim mesmo, mas como vocês sabem, eu queria a Máquina do Tempo, então tentei mais uma vez com ele. Enquanto ele se afastava, assim como os outros, perdi a calma. Com três passos o alcance e segurando-o pelo robe, na parte frouxa ao redor do pescoço, comecei a arrastá-lo em direção à esfinge. Então notei o horror e a repugnância em seu rosto e subitamente o soltei.

Contudo eu ainda não tinha desistido. Bati com o punho nos painéis de metal. Pensei ter ouvido um som vindo lá de dentro, para ser mais exato, o som de uma risada, mas devo ter me enganado. Peguei então uma pedra grande do rio e martelei até ter amassado um ornamento em espiral das decorações e o verdete começou a cair em flocos. As delicadas pessoinhas devem ter me ouvido martelar em uma explosão de raiva a alguns quilômetros de distância, mas nenhuma delas apareceu. Eu vi uma multidão deles sobre as encostas, olhando furtivamente para mim. Por fim, cansado e com calor, eu me sentei para observar o local, mas eu estava bastante agitado para observar por muito tempo. Sou ocidental demais para uma longa vigília. Eu poderia trabalhar em um problema por anos, mas esperar inerte por vinte e quatro horas já era outra questão.

Depois de um tempo, me levantei e comecei a caminhar sem destino por entre os arbustos em direção à colina de novo. "Paciência", disse para mim mesmo. "Se você quer sua máquina de volta, você deve deixar a esfinge em paz. Se eles querem ficar com a máquina, não faz bem quebrar os painéis de bronze e se eles não querem, você a terá assim que puder pedi-la de volta. Estar sentado aqui em meio a todas essas coisas desconhecidas, diante de um tipo de quebra-cabeça, é inútil. Isso te deixará paranoico. Encare esse mundo. Aprenda sobre ele, observe-o, tome cuidado ao fazer suposições apressadas. No fim, você encontrará as respostas para tudo isso". De repente, a graça da situação me veio à mente: a lembrança dos anos que passei estudando e trabalhando para chegar ao futuro e agora minha ansiedade para sair dali. Havia montado para mim mesmo a mais complicada e mais angustiosa armadilha que alguém já tinha criado. Ainda que fosse à minha custa, não pude evitar. Ri alto.

Passando pelo palacete, parecia que as pessoinhas me evitavam. Poderia ser coisa da minha imaginação, ou poderia ter algo a ver com minhas marteladas nas portas de bronze. Ainda assim, eu tinha certeza de que me evitavam. Tinha cuidado, entretanto, para não demonstrar preocupação e para me abster de qualquer perseguição a eles e, no decorrer de um ou dois dias, as coisas voltaram ao normal. Fiz o progresso que pude na língua e, além disso, impulsionei minhas explorações aqui e ali, ou eu havia perdido algum ponto sutil ou a língua deles era muito simples, quase exclusivamente composta de substantivos concretos e verbos. Parecia haver poucos termos abstratos e pouco uso de linguagem figurativa. As sentenças eram geralmente simples e de duas palavras, mas não consegui me expressar ou entender nada além das mais simples preposições. Decidi manter meus pensamentos sobre a Máquina do Tempo e o mistério das portas de bronze sob a esfinge em um canto da minha mente, até que meu conhecimento me levasse de volta a eles de maneira natural. Contudo, um certo sentimento, vocês podem entender, me mantinha em um círculo de poucos quilômetros do ponto onde eu tinha chegado.

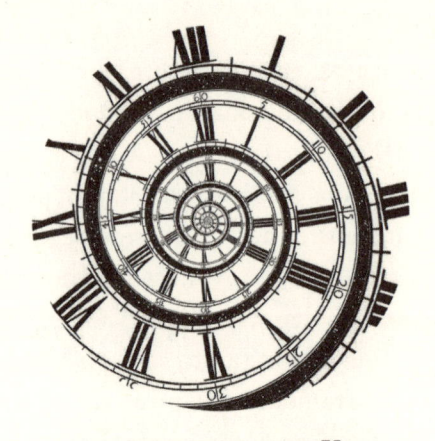

EXPLICAÇÃO

– Até onde eu podia ver, o mundo todo exibia a mesma riqueza exuberante que o vale do Tâmisa. De todas as colinas que havia escalado, eu via a mesma abundância de edifícios esplêndidos, em materiais e estilos variados e infinitos, a mesma aglomeração de moitas de plantas, as mesmas árvores carregadas de flores e samambaias. Aqui e ali, a água brilhava como prata e, mais além, a terra se erguia em colinas ondulantes azuis, misturando-se com a serenidade do céu. Uma característica peculiar, que havia chamado minha atenção, era a presença de certos poços circulares, aos montes e, pelo que parecia, de grande profundidade. Um se encontrava no caminho para a colina que eu havia subido durante minha primeira caminhada. Assim como os outros, ele tinha margens de bronze, bem forjadas, e era protegido da chuva por uma pequena cúpula. Eu me sentava na beirada desses poços, olhando para dentro da escuridão e não podia ver o reflexo da água, nem mesmo se acendesse um fósforo, mas em todos eles eu escutava um certo som: tum-tum-tum, como a batida de alguma máquina grande. E descobri, com a queima dos meus fósforos, que havia uma corrente de ar constante nos poços. Mais tarde, joguei um pedaço de papel pela garganta do poço e, em vez de flutuar com calma, foi sugado imediatamente, sumindo.

A Máquina do Tempo

Depois de um tempo, estabeleci uma relação entre os poços e as altas torres espalhadas pelas encostas, pois acima delas havia frequentemente uma oscilação no ar, como aquelas que vemos em dias quentes sobre a areia queimada pelo sol. Encaixando as peças, suspeitei que havia um extenso sistema de ventilação subterrâneo, cuja verdadeira importância era difícil de imaginar. No início, eu estava inclinado a associar o sistema com o aparato sanitário daquela população, era uma conclusão óbvia, mas eu estava totalmente errado.

E aqui devo admitir que aprendi muito pouco sobre encanamentos, alarmes, meios de transporte ou coisas do gênero, durante minha estadia nesse futuro real. Em algumas dessas visões de Utopias[7] e tempos futuros que eu li, há uma grande quantidade de detalhes sobre edifícios, estruturas sociais e assim por diante. Porém, enquanto esses detalhes são fáceis de se obter quando o mundo todo está contido na imaginação de uma pessoa, eles estão completamente inacessíveis para um viajante real em meio às realidades como as que encontrei aqui. Imagine a história que um viajante, recém-saído da África Central, contaria sobre Londres quando voltasse para casa. O que ele saberia sobre transporte ferroviário, movimentos sociais, telefones, telégrafos, empresas de entrega, correios e outras coisas similares? Nós, ao menos, estaríamos dispostos a explicar essas coisas para ele! E, mesmo que ele compreendesse, como poderia explicar ou contar aos seus amigos que não viajaram? Compare como é pequena a diferença entre um europeu e um africano de nossa era, e quão enorme é a diferença entre as pessoas da Era de Ouro e eu. Eu tinha consciência das muitas coisas que eu não via e que contribuíam para o meu conforto, mas exceto pela impressão geral de organização automática, receio que possa expressar muito pouco da diferença para vocês.

---

7. Utopias, na fala do Viajante do Tempo, tem relação com a obra de 1516 de Thomas More, *Utopia*, que inaugurou o uso desse termo, o qual tem o significado de "não lugar". Utopia, a partir de então, passou a nomear um gênero literário que ganhou grande popularidade em especial no século XIX, conhecido por narrar histórias que decorrem em um futuro idealizado. (N. R.)

No que diz respeito a sepulturas, por exemplo, não vi sinal algum de crematórios e nem mesmo túmulos, mas me ocorreu que, possivelmente, poderia haver cemitérios (ou crematórios) em lugares além da área que eu explorava. Essa, mais uma vez, foi uma pergunta que me fiz, mas minha curiosidade, de início, foi inteiramente derrotada nesse ponto. O que me intrigava e havia me levado a fazer outra observação que me deixou ainda mais confuso, era que não havia idosos nem pessoas doentes entre eles.

Devo confessar que a satisfação com as minhas primeiras teorias sobre uma civilização automática e uma humanidade decadente não durou muito. Ainda assim, não podia pensar em nada além. Deixem-me falar sobre minhas questões. Os vários palacetes que eu havia explorado eram apenas salas de estar, grandes salas de jantar e dormitórios. Não havia máquina nem aparelhos de qualquer tipo, contudo essas pessoas se vestiam com tecidos bons, que às vezes precisavam ser renovados e as sandálias, ainda que não fossem decoradas, eram complexos exemplares de trabalho feito com metal. De alguma forma, essas coisas precisam ser feitas e as pessoinhas não demonstravam nenhum vestígio de tendências criativas. Não havia lojas, oficinas nem sinal de importações entre eles. Passavam todo o tempo se divertindo de forma despreocupada, tomando banho no rio, fazendo amor de maneira brincalhona, comendo frutas e dormindo. Eu não conseguia entender como as coisas continuavam funcionando.

Então, novamente, a Máquina do Tempo: algo, e eu não sabia o quê, a havia levado para o pedestal oco da Esfinge Branca. Por quê? Eu não podia nem imaginar. Aqueles poços sem água, aqueles pilares tremeluzentes. Senti que me faltava uma pista. Eu senti... como eu poderia dizer isso? Suponhamos que vocês encontrem uma inscrição com frases em um inglês perfeito e simples e, no meio dessas frases, tenham outras palavras, letras até, completamente desconhecidas? Bem, no terceiro dia da minha visita, era assim que o mundo de 802701 parecia para mim.

Naquele dia também, fiz uma amiga, ou algo assim. Acontece que, enquanto eu observava algumas das pessoinhas se banhando na parte rasa, uma delas teve uma cãibra e começou a ser levada rio abaixo. A corrente era um tanto veloz, mas não era tão forte, mesmo para um nadador mediano. Isso te dará uma ideia, portanto, da estranha deficiência nessas criaturas, quando eu digo que nenhuma delas fez o menor esforço para resgatar a fraca criaturinha chorosa que se afogava diante dos seus olhos. Quando me dei conta disso, rapidamente tirei minhas roupas e, entrando em um ponto mais baixo do rio, alcancei-a e trouxe-a em segurança para a terra. Um pouco de estímulo a trouxe de volta e tive a satisfação de ver que ela estava bem antes de me afastar. Eu estava com uma opinião tão negativa de sua gente que não esperava nenhum sinal de gratidão da parte dela. Sobre isso, entretanto, eu estava errado.

Isso aconteceu de manhã. Durante a tarde, conheci a pequena mulher, ou pelo menos acredito que era uma mulher, enquanto eu retornava de uma exploração, e ela me recebeu com gritinhos de alegria e me presenteou com um enorme colar de flores, feito especialmente para mim. Aquilo me emocionou. Possivelmente eu estava me sentindo solitário. De qualquer forma, eu fiz o meu melhor para demonstrar que eu tinha adorado o presente. Logo estávamos sentados juntos em uma pequena pedra sob algumas trepadeiras, conversando e sorrindo. A amizade da criatura afetou-me do mesmo modo que a amizade de uma criança teria me afetado. Passamos flores um para o outro e ela beijou minhas mãos e depois eu fiz o mesmo com as dela. Então tentei falar e descobri que seu nome era Weena, e mesmo sem saber o que significava, de alguma forma parecia muito apropriado. Era o início de uma amizade esquisita que durou uma semana e terminou... bom, contarei mais tarde a vocês.

Ela era exatamente como uma criança. Queria estar o tempo todo comigo, pois tentava me seguir em todos os lugares, e na jornada seguinte, me partiu o coração cansá-la e deixá-la para trás, exausta, choramingando a chamar meu nome, mas os problemas do mundo deveriam ser controlados. Não havia vindo ao futuro, eu dizia a mim mesmo, para ter um namoro em miniatura. Ainda assim, seu sofrimento quando a deixei para trás era muito grande, suas queixas durante as despedidas eram, às vezes, frenéticas. Cheguei à conclusão de que, no geral, sua devoção me trouxe tanto trabalho quanto tranquilidade. Apesar disso, ela era, de alguma maneira, um grande conforto, pois eu pensava que era apenas uma afeição infantil que a tornava tão apegada a mim, mas já era tarde demais quando entendi o que eu tinha causado a ela quando a deixei. Também só entendi o que ela significava para mim tarde demais. Demonstrando, do seu jeito fútil, que se importava comigo e que estava apaixonada por mim, aquela pessoinha havia feito eu me sentir de volta ao lar, no meu retorno à vizinhança da Esfinge Branca. E eu procurava por ela, vestida de branco e dourado, assim que eu chegava no pico da colina.

Foi com ela também que aprendi que o medo ainda não havia abandonado o mundo. Ela era corajosa o bastante durante o dia e tinha a mais estranha confiança em mim. Uma vez, durante um momento de brincadeira, fiz caretas ameaçadores para ela e ela simplesmente riu delas, porém ela tinha pavor do breu, das sombras e de tudo que era escuro. A escuridão era, para ela, a única coisa apavorante e uma emoção singular, que me fez pensar e observar. Descobri então, entre outras coisas, que essas pessoinhas se reuniam nos grandes edifícios após o cair da noite e dormiam em bandos. Entrar no meio delas sem uma luz era causar pânico geral. Nunca encontrei nenhum fora do edifício, ou dormindo sozinho nos salões, quando escurecia, mas eu era tão cabeça-dura que não aprendi a lição sobre o medo e, apesar do desespero de Weena, insistia em dormir separado das multidões adormecidas.

Isso a incomodou muito, mas, no final, sua estranha afeição por mim venceu e durante cinco noites do nosso relacionamento, incluindo a última noite de todas, ela dormiu com a cabeça apoiada em meu braço, mas me desvio da história quando falo dela. Deve ter sido na noite anterior ao seu resgate que acordei de madrugada. Eu estava agitado, sonhando de maneira desagradável que me afogava e as anêmonas do mar caíam sobre meu rosto com seus palpos macios. Acordei assustado e com a sensação de que um animal acinzentado havia saído correndo da câmara. Tentei dormir de novo, mas me sentia inquieto e desconfortável. Era aquela hora cinzenta quando coisas se arrastam para fora da escuridão, quando tudo está sem cor e bem nítido, mas ainda assim abstrato. Eu me levantei e desci para o grande salão, seguindo para a laje de pedra em frente ao palacete. Pensei em fazer da necessidade uma virtude e, assim, ver o nascer do sol.

A lua estava se pondo, a luz do luar e a palidez da aurora se mesclavam em uma meia-luz fantasmagórica. Os arbustos eram pretos manchados de tinta, o chão uma sombra cinza, o céu sem cor e melancólico. E em cima da colina pensei que podia ver fantasmas. Por três vezes, enquanto examinava a encosta, eu vi vultos brancos. Duas vezes imaginei ter visto um vulto branco solitário, parecido com um primata, subindo rapidamente a colina. E outra vez, perto das ruínas, vi um grupo deles carregando um corpo escuro. Eles se moviam apressados, não vi o que aconteceu com eles e parecia que eles haviam desaparecido por entre os arbustos. A aurora ainda estava indistinta, vocês devem entender. Eu estava sentindo aquele frio incerto, aquela sensação da manhã que vocês devem conhecer. Duvidei dos meus olhos.

Assim que o céu ficou mais brilhante, a luz do dia apareceu e suas cores vívidas retornaram ao mundo mais uma vez, eu examinei a vista atentamente, mas não vi vestígio algum dos vultos brancos. Eles eram apenas criaturas da meia-luz. "Devem ter sido fantasmas", eu disse. "Eu me pergunto de onde eles vêm". A ideia de Grant Allen[8] veio à minha mente e me divertiu. Se cada geração que morre deixa fantasmas, ele argumentava, o mundo terminará lotado deles. Pensando nessa teoria, consequentemente em 802701 haveria inúmeros fantasmas e não seria de se espantar ver quatro deles de uma vez, porém essa ideia não era satisfatória e continuei pensando nos vultos durante toda a manhã, até

---

8 Grant Allen foi um romancista britânico e um dos pioneiros da ficção científica. Um de seus livros, *The British Barbarians*, lançado em 1895, também descreve uma viagem no tempo. (N.T.)

que o resgate de Weena os tirou da minha mente. Associei os fantasmas, de maneira superficial, com o animal branco que eu havia assustado enquanto procurava pela Máquina do Tempo, mas Weena era uma substituta agradável. Ao mesmo tempo, eles estavam destinados a tomar posse, de forma mais mortal, da minha mente.

Acredito que mencionei que o clima da Era de Ouro era muito mais quente que o nosso, mas não sei explicar o porquê. Pode ser que o Sol fosse mais quente, ou a Terra fosse mais próxima do Sol.

É comum supor que o Sol continuará esfriando de maneira mais constante no futuro, mas as pessoas, que não estão familiarizadas com tais especulações como as do jovem Darwin[9], esquecem que os planetas, no fim, serão absorvidos pelo principal Astro. Quando essas catástrofes ocorrerem, o Sol queimará com energia renovada e talvez algum planeta mais próximo já tenha encontrado esse destino. Seja qual for a razão, o fato é que o Sol era muito mais quente do que esse que conhecemos.

Em uma manhã quente, a quarta se não me engano, enquanto eu procurava abrigo do calor e da claridade em uma ruína colossal próxima da grande casa onde eu dormia e comia, aconteceu algo estranho. Escalando por entre os montes de alvenaria, encontrei uma galeria estreita que estava com a saída e as janelas laterais bloqueadas por pedras de um desmoronamento. Contrastando com o brilho do lado de fora, ela parecia impenetravelmente escura para mim. Entrei tateando o local, já que a mudança da luz para escuridão fez com que manchas dançassem em frente aos meus olhos. De repente me detive, encantado. Um par de olhos, iluminado pelo reflexo da luz do dia, estava me observando na escuridão.

O antigo pavor instintivo de animais selvagens retornou. Cerrei os punhos e olhei com firmeza para os olhos ferozes. Estava com medo de me virar, o pensamento da segurança absoluta na qual a humanidade parecia estar vivendo me veio à mente e então me lembrei do estranho

---

9 Darwin aqui se refere ao filho de Charles Darwin, George Howard Darwin, que era astrônomo e matemático. (N.T.)

medo do escuro. Superando meu medo, de certo modo, dei um passo à frente e falei. Admito que minha voz era agressiva e não muito controlada. Estiquei minha mão e toquei em algo macio. De repente, seus olhos olharam para o lado e alguma coisa branca passou correndo por mim. Virei-me com o coração na boca e vi um vulto esquisito parecido com um primata, sua cabeça inclinada de uma maneira peculiar, correndo pelo local iluminado atrás de mim. O vulto se chocou contra um bloco de granito, cambaleou para o lado e em um instante estava escondido em uma sombra sob outra pilha de alvenaria quebrada.

Minha impressão sobre isso é, obviamente, imperfeita, mas sei que ele era branco opaco e tinha olhos estranhos, grandes e de uma cor vermelha-acinzentada. Também tinha cabelos loiros na cabeça e nas costas. Porém, como eu disse, foi tudo muito rápido para que eu pudesse ver com clareza. Não posso nem dizer se ele correu usando quatro membros ou se tinha os membros dianteiros abaixados demais. Após um breve momento, segui a criatura até o segundo monte de ruínas. De início não consegui encontrá-lo, mas, após um tempo na profunda escuridão, cheguei a uma dessas aberturas redondas parecidas com as de um poço, sobre as quais já falei antes, fechada por um pilar caído. Um pensamento repentino me veio à mente. Teria essa Coisa desaparecido por essa abertura? Acendi um fósforo e, olhando para baixo, vi uma pequena criatura se movendo, com olhos grandes e brilhantes que me olhavam com firmeza enquanto se afastava. Isso me fez estremecer. Parecia muito com uma aranha humana! Estava escalando a parede e, pela primeira vez, vi diversos apoios para mãos e pés formando uma espécie de escada para descer o poço. Então o fósforo queimou meus dedos e caiu da minha mão, apagando-se. Quando acendi outro, o pequeno monstro havia desaparecido.

Não sei quanto tempo fiquei sentado examinando aquele poço. Demorou algum tempo para que eu conseguisse me convencer de que aquela coisa que eu havia visto era humana, mas gradualmente a verdade me ocorreu: o Homem não havia permanecido como uma única espécie, mas havia se diferenciado em dois animais distintos. As pessoinhas do Mundo Superior não eram os únicos descendentes da nossa geração, essa Coisa noturna, obscena e descolorida, que havia aparecido por um instante, era também herdeira de todas as épocas.

Pensei a respeito dos pilares e da minha teoria de uma ventilação subterrânea. Comecei a suspeitar de sua verdadeira importância. Eu me perguntei o que esse lêmure fazia no meu esquema de uma organização perfeitamente equilibrada. Como se relacionava com a serenidade preguiçosa dos habitantes do Mundo Superior? E o que se escondia lá embaixo, no fundo do poço? Sentei-me na beirada do poço dizendo a mim mesmo que, de qualquer forma, não havia nada a temer e que eu deveria descer para encontrar as respostas para minhas questões. No entanto, eu estava com muito medo de ir. Enquanto eu hesitava, duas pessoas do maravilhoso Mundo Superior apareceram correndo e namorando, dirigindo-se à sombra. O homem perseguia a mulher, lançando flores para ela enquanto corria.

Pareceram perturbados de me encontrar ali, meu braço apoiado no pilar derrubado, olhando para dentro do poço. Aparentemente, não era considerado correto observar essas aberturas, pois quando apontei para essa e tentei formular uma questão sobre aquilo na língua deles, eles ficaram ainda mais perturbados e se afastaram, porém eles se interessavam pelos meus fósforos, então acendi alguns para entretê-los. Tentei perguntar novamente sobre o poço, mas falhei mais uma vez. Nesse momento, resolvi deixá-los e voltar para Weena, para tentar conseguir informações com ela. Entretanto, a minha mente já sofria uma revolução, meus palpites e impressões estavam se organizando de uma nova forma. Eu tinha agora pistas sobre a importância desses poços, sobre as torres de ventilação e sobre o mistério dos fantasmas. Para não falar do significado dos portões de bronze e o destino da Máquina do Tempo! E bem vagamente surgiu uma sugestão que poderia ser a solução da questão econômica que havia me intrigado.

Aqui está minha nova hipótese. Claramente, essa segunda espécie de Homem era subterrânea. Três circunstâncias em particular me fizeram pensar que suas raras aparições acima do solo eram o resultado do longo e contínuo hábito de se viver debaixo da terra. Em primeiro lugar, havia a aparência descolorida comum na maioria dos animais que vivem principalmente no escuro, como os peixes brancos das cavernas do Kentucky, por exemplo. Em seguida, os olhos grandes, com capacidade para refletir a luz, são características comuns em animais noturnos, observe as corujas e os gatos.

E, por último, a evidente confusão na luz do dia, aquele apressado e desajeitado voo em direção à sombra e o posicionamento peculiar da cabeça enquanto estava na luz, tudo reforçava a teoria de sensibilidade extrema da retina.

Sob os meus pés, a terra deveria ser cheia de túneis, que eram o hábitat da nova raça. A presença de sistemas de ventilação e poços ao longo das encostas das colinas, em todo lugar, aliás, exceto no vale do rio, mostrava o quão universal eram suas ramificações. Era natural supor, então, que o trabalho necessário para garantir o conforto da raça que vivia à luz do dia era feito nesse Mundo Subterrâneo artificial. A noção era tão plausível que eu a aceitei rapidamente e depois encontrei explicação até mesmo para a divisão das espécies humanas. Devo dizer que vocês já imaginam a estrutura da minha teoria, apesar de, no que diz respeito a mim, ter descoberto bem cedo que ela estava longe de explicar a verdade.

No início, partindo dos problemas da nossa própria época, parecia claro como a luz do dia para mim que o aumento gradual da atual diferença, meramente temporária e social, entre Capitalistas e Operários era a chave de tudo aquilo. Sem dúvida isso parecerá grotesco demais para você, extremamente inacreditável e mesmo agora existem circunstâncias que apontam para esse caminho. Há uma tendência em utilizar o espaço subterrâneo para os propósitos menos ornamentais da civilização. Há o Metropolitan Railway em Londres, por exemplo, as novas ferrovias elétricas, o metrô, há restaurantes e locais de trabalho subterrâneos, e eles estão crescendo e se multiplicando. Evidentemente, pensei, essa tendência havia aumentado até a Indústria perder de forma gradual seu lugar de direito ao sol. Quero dizer, ela havia ido cada vez mais fundo, construindo fábricas subterrâneas cada vez maiores e passando cada vez mais tempo lá embaixo, até que no fim...! Mesmo agora, os operários que moram nas periferias não vivem em condições tão superficiais que são praticamente removidos da superfície natural da terra?

Novamente, a tendência exclusivista de pessoas ricas, devido, sem dúvida, ao refinamento de sua educação, o abismo crescente entre eles e a violência grosseira do pobre já está levando ao fechamento, por interesse delas, de porções consideráveis da superfície terrestre. Em Londres, por exemplo, talvez mais da metade dos melhores terrenos esteja fechada contra invasões. E esse mesmo abismo crescente, que decorre da duração e das despesas do processo educacional superior, das facilidades e das tentações aos hábitos refinados por parte dos ricos, fará com que essa troca entre classes, esse incentivo ao casamento miscigenado, que no momento retarda a separação das nossas espécies ao longo de linhas de estratificação social, sejam menos e menos frequentes. Então, no final, acima do solo sempre teremos os Possuidores buscando prazer, conforto e beleza, e debaixo do solo os Despossuídos, os trabalhadores que continuam se adaptando às condições de seu trabalho. Uma vez estando lá, eles deveriam pagar aluguel, sem dúvida e não seria barato, pela ventilação de suas cavernas. Se eles se recusassem, morreriam de fome ou asfixia, devido ao atraso no pagamento. Alguns deles, por serem miseráveis e rebeldes, morreriam e no final, com o equilíbrio sendo permanente, os sobreviventes se tornariam tão adaptados às condições da vida subterrânea, felizes com esse modo de vida, assim como o Mundo Superior é feliz com o modo deles. Como me pareceu, a beleza refinada e a palidez debilitada eram consequências naturais.

O grande triunfo da Humanidade, com o qual eu havia sonhado, ganhou novos contornos na minha mente. Não havia triunfo da educação moral e da cooperação geral, como eu imaginara. Em vez disso, vi uma aristocracia real, armada com uma ciência perfeita e trabalhando para encontrar uma conclusão lógica ao sistema industrial dos dias atuais. Seu triunfo não havia sido simplesmente sobre a Natureza, mas sobre ela e os outros indivíduos. Devo avisá-los que essa era a minha teoria naquela época. Eu não tinha um guia adequado, como nos livros Utópicos. Minha explicação pode estar completamente errada. Ainda acredito que é a mais plausível, mas mesmo com essa suposição, a civilização equilibrada que havia sido alcançada deve ter, há tempos, passado por seu apogeu e estava agora em plena fase de decadência. A segurança muito perfeita dos habitantes do Mundo Superior os havia guiado para um movimento lento de degeneração, para uma diminuição geral de altura, força e inteligência. Isso eu já podia ver com clareza. O que havia acontecido com os habitantes do subterrâneo eu ainda nem suspeitava, mas pelo que eu havia visto dos Morlocks, que era o nome pelo qual essas criaturas eram chamadas, eu podia imaginar que a modificação do tipo humano era muito mais profunda do que a dos Elói, nome da raça maravilhosa que eu já conhecia.

Então me surgiram dúvidas perturbadoras. Por que os Morlocks pegaram minha Máquina do Tempo? Pois eu tinha certeza de que havia sido eles. Se os Elói eram os mestres, por que eles não podiam me devolver a máquina? E por que eles tinham tanto medo do escuro? Como eu disse antes, tentei questionar Weena a respeito do Mundo Subterrâneo, mas novamente fiquei desapontado. No início, ela não entendeu minhas perguntas, mas agora se recusava a respondê-las. Ela tremia, como se o assunto fosse terrível e quando a pressionei, talvez um pouco demais, ela irrompeu em lágrimas. Foram as únicas lágrimas, exceto pelas minhas, que eu vi na Era de Ouro. Quando as vi, imediatamente parei de me preocupar com os Morlocks e estava apenas preocupado em banir esses sinais de herança humana dos olhos da Weena. E logo ela estava sorrindo e batendo as mãos, enquanto eu queimava um fósforo.

OS MORLOCKS

– Pode parecer estranho para vocês, mas dois dias se passaram antes que eu pudesse seguir as pistas recém-encontradas do que era evidentemente o caminho correto. Eu sentia certa repugnância daqueles corpos pálidos, eles tinham a cor meio esbranquiçada de vermes e seres que vemos preservados em álcool em museus de zoológico e eram horrivelmente frios ao toque. É provável que minha repugnância se devia, em grande parte, à influência solidária dos Eloi, cuja aversão aos Morlocks eu começava a entender.

Não dormi bem na noite seguinte, pois certamente minha saúde não estava em perfeito estado e eu me sentia oprimido por perplexidade e dúvidas. Uma ou duas vezes senti um intenso medo, mas não encontrei razão definitiva para ele. Lembro de me arrastar sem fazer barulho até o grande salão onde as pessoinhas dormiam à luz do luar (naquela noite, Weena estava entre eles) e de me sentir seguro com a presença deles. Ocorreu-me, então, que, no decorrer de alguns dias, a Lua entraria em sua última fase e a noite ficaria mais escura, e que poderia ser mais frequente a aparição dessas criaturas desagradáveis do subsolo, desses lêmures esbranquiçados, desses novos vermes que haviam substituído os anteriores.

E, nesses dois dias, tive a mesma sensação inquietante de quem foge de um dever inevitável. Estava convicto de que a Máquina do Tempo só poderia ser recuperada se eu adentrasse corajosamente nos mistérios do mundo subterrâneo. Ainda assim, me faltava coragem de encará-los, se eu tivesse um companheiro, teria sido diferente, mas eu estava terrivelmente só e até a ideia de descer na escuridão do poço me aterrorizava. Não sei se vocês entenderão o meu sentimento, mas nunca me senti muito seguro.

Era essa inquietação, insegurança talvez, que me levava cada vez mais longe nas minhas expedições pelo campo. Indo ao Sudoeste em direção a um local elevado agora chamado de Combe Wood, observei ao longe uma estrutura verde grande, na direção da atual cidade de Banstead, diferente de tudo que eu havia visto até o momento. Era maior que os maiores palacetes ou ruínas que eu conhecia, a fachada era de estilo Oriental: tinha o brilho e também o tom verde pálido, quase verde azulado, de um tipo de porcelana chinesa. Essa diferença de aspecto sugeria uma diferença de finalidade, o que me instigou a continuar a rota e explorar. No entanto, o dia estava terminando e eu havia descoberto o edifício após um longo e cansativo circuito, por isso resolvi adiar a aventura para o dia seguinte, retornando às boas-vindas e aos carinhos da pequena Weena. Na manhã seguinte, percebi claramente que minha curiosidade a respeito do Palácio de Porcelana Verde era apenas uma maneira de me enganar, de fugir por outro dia de uma experiência que eu temia. Decidi fazer a descida sem mais delongas e comecei no início da manhã indo em direção a um dos poços perto das ruínas de granito e alumínio.

A pequena Weena veio comigo. Dançou do meu lado até chegar ao poço, mas, quando viu que eu me inclinava sobre a borda e olhava para baixo, pareceu estranhamente desconfortável. "Adeus, pequena Weena", eu disse, beijando-a e, depois, colocando-a no chão. Procurei no parapeito pelos ganchos de metal. Com muita pressa, devo confessar, porque temia que minha coragem sumisse. De início, ela me olhou com espanto, então soltou um grito, correu até mim e começou a me puxar com suas mãozinhas. Penso que sua oposição foi o que me motivou a continuar. Eu a empurrei, talvez de maneira um pouco bruta e, no momento seguinte, estava na garganta do poço. Vi seu rosto agonizado sobre o parapeito e sorri para acalmá-la. Depois, precisei olhar para baixo para os ganchos instáveis nos quais eu me apoiava.

Tive que descer um duto de quase 200 metros. A descida era feita por barras metálicas que se projetavam das paredes do poço, e por serem adaptadas às necessidades de uma criatura bem menor e mais leve que eu, fizeram eu me cansar e ter cãibras bem rapidamente, mas não fiquei simplesmente fatigado. Uma das barras cedeu com o meu peso e quase me lançou na escuridão abaixo. Por um instante fiquei pendurado por uma mão e, depois daquela experiência, não ousei descansar de novo. Ainda que meus braços e minhas costas estivessem extremamente doloridos, continuei descendo aquele enorme poço o mais rápido que pude. Olhando para cima, vi a abertura, um pequeno disco azul, no qual uma estrela estava visível, enquanto a cabeça da pequena Weena aparecia como uma redonda projeção preta. O som de batidas de uma máquina abaixo aumentou e se tornou mais opressivo. Tudo, exceto por aquele pequeno disco lá em cima, estava na escuridão profunda, e quando olhei de novo, Weena tinha desaparecido.

Eu estava agoniado e desconfortável. Pensei em tentar escalar o túnel novamente e deixar o Mundo Subterrâneo de lado, mas mesmo quando isso surgia na minha mente, eu continuava descendo. Por fim, com intenso alívio, vi surgir a poucos centímetros de distância de mim, um buraco estreito na parede. Ao alcançá-lo, descobri que se tratava da abertura de um túnel horizontal apertado onde eu poderia deitar e descansar, pois já era hora. Meus braços doíam, estava com cãibras nas costas e eu tremia com o pavor contínuo de uma possível queda. Além disso, a escuridão ininterrupta havia causado um efeito incômodo nos meus olhos. O ar vibrava e era cheio de zumbidos causados pela máquina que o bombeava no poço.

Não sei por quanto tempo descansei. Fui acordado por uma mão macia tocando meu rosto. Acordando em meio à escuridão, alcancei meus fósforos, rapidamente acendendo um. Vi três criaturas brancas, similares àquela que eu havia visto nas ruínas, inclinadas e se encolhendo ao verem a luz. Vivendo na escuridão que para mim parecia impenetrável, como eles viviam, seus olhos eram excepcionalmente grandes e sensíveis, assim como são as pupilas de peixes abissais e refletiam a luz da mesma maneira. Eu não tinha dúvida de que eles podiam me ver naquela escuridão e não pareciam ter medo de mim, só da luz. Contudo, assim que acendi um fósforo para poder observá-los, eles fugiram depressa, sumindo nas passagens e nos túneis escuros, dos quais seus olhos me encaravam de forma estranha.

Tentei chamá-los, mas a língua deles era, aparentemente, diferente daquela usada pelas pessoas do Mundo Superior, logo, meus esforços eram infrutíferos. O pensamento de fugir antes mesmo de explorar o local ainda permanecia na minha mente, mas disse a mim mesmo: "você veio até aqui para isso" e, tateando meu caminho pelo túnel, percebi que o barulho das máquinas aumentava. As paredes começaram a se distanciar de mim e cheguei a um grande espaço aberto. Acendendo outro fósforo, notei que havia entrado em uma ampla caverna arqueada que se estendia para dentro da escuridão além do alcance da minha luz. A visão que eu tinha dela era tudo o que se podia ver à luz de um fósforo.

Inevitavelmente, a minha memória é vaga. Da escuridão surgiram grandes contornos que pareciam máquinas, formando sombras pretas e grotescas, nas quais Morlocks fantasmagóricos se refugiavam da luminosidade. O local, a propósito, era muito abafado e opressivo, e o cheiro fraco de sangue recém-derramado estava no ar. Quase no centro do local havia uma pequena mesa de metal branco ocupada com o que parecia ser uma refeição. Os Morlocks eram carnívoros, evidentemente. Mesmo naquele tempo, eu me lembro de imaginar qual animal grande poderia ter sobrevivido para fornecer aquela quantidade de carne vermelha que eu vi. Era tudo muito vago: o cheiro forte, os grandes contornos irreconhecíveis, as figuras obscenas escondendo-se nas sombras apenas esperando a escuridão para me atacar novamente! Então o fósforo se apagou, queimou meus dedos e caiu, um ponto vermelho retorcendo-se na escuridão.

Pensei, então, o quão mal equipado eu estava para tal experiência. Quando comecei com a Máquina do Tempo, parti do pressuposto absurdo de que os homens do Futuro estariam, certamente, à frente de nós em todos os campos. Assim, fui sem armas, sem remédios, sem nada para fumar (às vezes, eu sentia muita falta do tabaco), e até mesmo sem fósforos suficientes. Se eu apenas tivesse me lembrado de uma Kodak, poderia ter registrado aquela amostra do Mundo Subterrâneo em um segundo e depois a examinado quando quisesse, mas eu estava ali apenas com as armas e poderes que a Natureza havia me dado: mãos, pés e dentes. Isso tudo e quatro fósforos que ainda me restavam.

Estava com medo de abrir caminho por entre as máquinas no escuro e foi só com o último indício de luz que descobri que meu estoque de fósforos estava acabando. Não havia me ocorrido até aquele momento que era necessário economizá-los e eu havia gastado quase metade da caixa surpreendendo os habitantes do Mundo Superior, para os quais o fogo era uma novidade. Agora, como dizia, só restavam quatro e, enquanto eu permanecia imóvel no escuro, uma mão tocou a minha, dedos magros tocaram meu rosto e senti um odor peculiar e desagradável. Pensei ter ouvido a respiração de uma multidão daquelas pequenas criaturas assustadoras sobre mim. Senti que alguém tentava roubar a caixa de fósforos da minha mão e outros dedos tentavam arrancar minhas roupas.

A sensação de ser examinado por essas criaturas era indescritivelmente desagradável. A percepção repentina da minha ignorância sobre a maneira como eles pensavam e agiam me atingiu em cheio na escuridão. Eu gritei o mais alto que pude e eles se afastaram, mas logo senti que se aproximavam novamente. Então, me agarraram com mais força, sussurrando sons estranhos uns para os outros. Tremi violentamente e gritei de novo, sem muita confiança. Dessa vez, eles não ficaram tão alarmados e deram risadinhas enquanto voltavam para cima de mim. Devo confessar que estava terrivelmente assustado e decidi acender outro fósforo e escapar sob a proteção de sua chama. E assim o fiz, aumentando a intensidade da centelha com um pedaço de papel que eu tinha no bolso, enquanto fugia pelo túnel estreito, mas eu mal havia entrado no túnel quando a chama se apagou e, na escuridão, pude ouvir os Morlocks sussurrando como vento entre folhas e fazendo ruídos como a chuva, enquanto corriam atrás de mim.

Em um instante, fui agarrado por várias mãos e não havia dúvidas de que eles estavam tentando me puxar de volta. Acendi outro fósforo e o balancei em frente aos seus rostos. Vocês não podem nem imaginar o quão nauseante e inumanos eles pareciam. Aqueles rostos pálidos com grandes olhos rosa-acinzentados sem pálpebras, que me encaravam, cegos e confusos. Não fiquei para observá-los, mas isso juro a vocês: recuei novamente e, quando meu segundo fósforo se apagou, acendi o terceiro. Ele havia quase terminado de queimar quando alcancei a abertura para o poço. Deitei-me na beirada, porque a vibração da bomba que havia lá embaixo me deixou com tontura. Eu procurava pelos ganchos de metal da parede, mas enquanto fazia isso, meus pés foram agarrados por trás e eu fui violentamente puxado de volta. Acendi meu último fósforo... e ele se apagou imediatamente, mas agora, eu estava com uma das mãos nas barras de metal e chutando com violência, soltei-me das garras dos Morlocks. Eu subi com rapidez pelo poço, enquanto eles permaneceram me olhando lá de baixo, todos menos um pequeno miserável que me seguiu por um tempo e quase ficou com uma das minhas botas como recompensa.

Aquela subida parecia interminável. Nos últimos dez metros, uma náusea mortal se apossou de mim. Tive a maior dificuldade para continuar me segurando. Os últimos metros foram uma luta horrível contra a fraqueza. Por várias vezes, minha cabeça girou e eu senti como se caísse. No entanto, consegui chegar de alguma forma à boca do poço e cambaleei para fora da ruína em direção ao sol que cegava e caí sobre o meu rosto. Até a terra cheirava bem, doce e limpa. Lembro-me de sentir Weena beijando minhas mãos e orelhas, e de escutar as vozes de outros Elói. Depois disso, perdi os sentidos.

QUANDO A NOITE CHEGOU

– Parecia que agora minha situação era ainda pior. Até o momento, exceto durante a noite angustiante do sumiço da Máquina do Tempo, eu havia mantido uma esperança de escapar, mas ela ficou abalada pelas novas descobertas. Até então, pensava que estava sendo mantido ali pela simplicidade infantil das pessoinhas e por algumas forças desconhecidas que eu só precisava entender para superar, mas havia um elemento completamente novo no comportamento dos Morlocks, algo inumano e maligno. Instintivamente, eu os odiava. Antes, eu me sentia como um homem se sente ao cair em um fosso, pois minha preocupação era com o fosso e como sair dali. Agora, eu me sentia como um animal preso em uma armadilha, cujos inimigos podem, em breve, chegar.

O inimigo que eu temia pode surpreender vocês: era a escuridão da Lua nova. Weena havia plantado isso na minha cabeça ao fazer alguns comentários incompreensíveis, no início, sobre as Noites Escuras. Não era muito difícil de imaginar o que essas Noites Escuras poderiam significar. A Lua estava minguando: a cada noite havia um intervalo maior de escuridão e agora eu entendia, até certo ponto pelo menos, a razão do medo da escuridão que os habitantes do Mundo Superior sentiam. Imaginei vagamente que vilania horrível os Morlocks poderiam fazer sob a Lua nova. Eu tinha certeza agora de que a minha segunda hipótese estava toda errada. Os habitantes do Mundo Superior poderiam ter sido, em algum momento, a aristocracia favorecida e os Morlocks, seus servos mecânicos, mas aquilo havia acabado há tempos. As duas espécies que resultaram da evolução do homem estavam caminhando, ou já haviam chegado, a uma relação completamente nova. Os Eloi, assim como os reis carolíngios, haviam decaído e eram apenas uma mera futilidade magnífica. Eles ainda dominavam a Terra, mas por complacência, já que os Morlocks, subterrâneos há várias gerações, achavam intolerável a superfície iluminada pela luz do dia. E os Morlocks ainda faziam suas roupas, um velho hábito de serviço que havia sobrevivido. Eles faziam isso assim como o cavalo bate suas patas no chão, ou um homem se diverte matando animais: porque necessidades antigas e já abandonadas haviam se fixado no organismo. Mas, claramente, a antiga ordem já estava, em parte, invertida. A Nêmesis dos seres delicados estava se aproximando de maneira rápida. Há muito tempo, milhares de gerações atrás, o homem havia privado seu irmão da comodidade e da luz solar e agora o irmão estava retornando, mudado. Os Eloi começavam a aprender uma velha lição outra vez. Eles estavam se familiarizando novamente com o medo. E, de repente, me lembrei da imagem da carne que eu havia visto no Mundo Subterrâneo. Pareceu estranho como isso retornou à minha mente, não surgiu como se fosse um fluxo das minhas meditações, mas como se fosse uma questão elaborada por outra pessoa. Tentei me lembrar da forma da carne, eu tinha uma vaga sensação de que era algo familiar, mas não soube dizer então o que era.

Embora as pessoinhas fossem impotentes diante da presença daquele misterioso Medo, eu era constituído de modo diferente. Eu havia saído da nossa era, o apogeu do amadurecimento da raça humana, quando o Medo não nos paralisava e o mistério tinha perdido seus terrores, pois eu pelo menos me defenderia. Sem demora, decidi me armar e procurar um lugar seguro onde pudesse dormir. Com esse refúgio como base, poderia encarar esse mundo estranho com um pouco daquela confiança que eu havia perdido ao me dar conta das criaturas às quais eu estaria exposto à noite. Senti como se não pudesse dormir nunca mais, a menos que minha cama estivesse segura contra eles. Estremeci de pavor ao pensar como eles já deveriam ter me examinado.

Vaguei durante a tarde ao longo do vale do Tâmisa, mas não encontrei nenhum lugar que me parecesse inacessível. Todos os edifícios e as árvores pareciam facilmente acessíveis para escaladores ágeis que os Morlocks, a julgar pelos poços, deveriam ser. E então, os altos pináculos do Palácio de Porcelana Verde e o brilho polido de suas paredes voltaram à minha memória e, no entardecer, levando Weena como uma criança sobre os meus ombros, fui até as colinas em direção ao Sudoeste. A distância, eu tinha estimado, era de 12 ou 13 km, mas na realidade deve ter sido de quase 30 km. Eu havia visto o lugar pela primeira vez em uma tarde úmida, quando as distâncias são atenuadas de maneira enganosa. Somado a isso, o salto de um dos meus sapatos estava solto e a sola estava furada, aqueles eram velhos sapatos confortáveis que eu usava em casa, e por isso eu mancava. O pôr do sol já tinha chegado quando avistei o palacete, uma silhueta preta contra o amarelo pálido do sol.

Weena estava extremamente encantada quando comecei a carregá-la, mas depois de um tempo ela quis que eu a colocasse no chão. Ela corria ao meu lado e, às vezes, se afastava para colher flores e enfiá-las nos meus bolsos, que sempre intrigaram Weena, mas, no fim, ela concluiu que eles eram um excêntrico tipo de vaso para suas decorações florais, pelo menos era com esse propósito que ela os utilizava. E isso me lembrou de algo! Ao trocar de casaco, encontrei...

O Viajante do Tempo fez uma pausa, colocou uma das mãos no bolso e silenciosamente colocou duas flores brancas e secas, não muito diferentes de grandes malvas brancas, em cima da mesa. E então continuou a história.

Enquanto o silêncio do entardecer se arrastava sobre o mundo e nós seguíamos sobre o topo da colina em direção a Wimbledon, Weena se cansou e quis retornar à casa de pedra cinza, mas eu mostrei a ela os pináculos distantes do Palácio de Porcelana Verde e tentei fazê-la entender que estávamos procurando um refúgio contra o seu Medo. Vocês conhecem aquele silêncio que ocorre antes do anoitecer? Até mesmo a brisa para de soprar as árvores. Para mim, há sempre um ar de expectativa sobre essa quietude da noite e o céu estava limpo, remoto e vazio, exceto por algumas listras no horizonte. Naquela noite, a expectativa tinha a cor dos meus medos. Na calma sombria, meus sentidos pareciam extremamente afiados, até achei que podia sentir o chão oco sob meus pés. Podia, inclusive, quase ver através dele os Morlocks em seu formigueiro, andando para lá e para cá, esperando pela escuridão. Imaginei, na minha emoção, que eles entenderiam minha invasão à sua toca como uma declaração de guerra. E por que eles haviam levado minha Máquina do Tempo?

Continuamos o caminho no silêncio e o crepúsculo se transformou em noite. O azul claro da distância desapareceu e uma estrela após a outra começou a aparecer. O chão ficou mais escuro e as árvores, pretas. Os medos de Weena, assim como o cansaço, aumentaram. Peguei-a em meus braços, falei com ela e a acariciei. Enquanto a escuridão crescia, ela colocou os braços em volta do meu pescoço e, fechando os olhos, pressionou o rosto contra o meu ombro. Então, descemos uma longa encosta até um vale e, na escuridão, quase entrei em um pequeno rio. Caminhei por ali com dificuldade e cheguei ao lado oposto do vale, passando por várias casas e por uma estátua, um Fauno ou algo parecido, sem a cabeça. Por ali também havia acácias. Até então, eu não tinha visto sinal dos Morlocks, mas ainda era cedo na noite e as noites mais escuras antes da velha lua aparecer ainda estavam por vir.

Do topo da colina seguinte, avistei um bosque denso que se estendia vasto e escuro diante de mim. Hesitei. Eu não podia enxergar o final dele, nem à direita nem à esquerda. Sentindo-me cansado, meus pés, em particular, estavam muito doloridos, cuidadosamente tirei Weena dos meus ombros enquanto parava e me sentava sobre o gramado. Eu não avistava mais o Palácio de Porcelana Verde e fiquei em dúvida quanto à minha direção. Olhei para a densidade do bosque e pensei sobre o que ele poderia esconder e sob aquele volumoso emaranhado de galhos, alguém poderia se esconder das estrelas. Mesmo onde não havia perigo à espreita, um perigo sobre o qual preferi não pensar, ainda havia a chance de tropeçar em raízes e trombar com os troncos de árvores. Eu também estava muito cansado, depois de toda a agitação do dia, então decidi que não enfrentaria o bosque, mas que passaria a noite sobre a colina, ao ar livre.

Fiquei feliz ao descobrir que Weena dormia profundamente. Enrolei meu casaco nela e me ajeitei ao seu lado para esperar pelo nascer da lua. A colina estava quieta e deserta, mas da escuridão do bosque vinha, de vez em quando, sons de seres vivos. A noite estava muito clara e, por isso, as estrelas brilhavam acima de mim, então tive uma certa sensação de conforto no brilho delas. Todas as velhas constelações já tinham sumido do céu, no entanto, aquele movimento lento que é imperceptível em centenas de vidas humanas, já as havia reorganizado em agrupamentos desconhecidos, mas a Via Láctea, ao que me parecia, ainda era a mesma flâmula esfarrapada de poeira estelar de antigamente. Em direção ao Sul (pelo que julguei), havia uma estrela vermelha muito brilhante que era nova para mim, era ainda mais esplêndida que nossa própria Sirius verde. E entre todos esses pontos de luz cintilantes, um planeta luminoso brilhou de maneira bondosa e contínua como o rosto de um velho amigo.

Ao olhar para essas estrelas, meus próprios problemas diminuíram, assim como todas as dificuldades da vida terrestre. Pensei sobre a distância descomunal delas e a direção lenta e inevitável dos seus movimentos do passado desconhecido ao futuro desconhecido. Pensei sobre o grande ciclo precessional[10] que o polo da Terra descreve. Essa revolução

---

10 Precessão é um dos movimentos realizados pela Terra, além da rotação e da translação. É parecido com um bamboleio. (N.T.)

silenciosa ocorreu apenas quarenta vezes durante todos os anos que eu atravessei. E durante essas poucas revoluções, todas as atividades, todas as tradições, as organizações complexas, nações, linguagens, literaturas, aspirações, até mesmo a memória do Homem como o conheci, haviam sido varridas da existência. Em vez disso, restaram essas criaturas frágeis que haviam esquecido sua ancestralidade e as Criaturas brancas que me aterrorizavam. Então pensei sobre o Grande Medo que estava no meio das duas espécies e pela primeira vez, com um repentino arrepio, veio a compreensão do que poderia ser aquela carne que eu havia visto, mas isso seria horrível demais! Olhei para a pequena Weena dormindo ao meu lado, seu rosto branco e vívido sob as estrelas e imediatamente afastei o pensamento.

Durante toda aquela noite, mantive meus pensamentos longe dos Morlocks o quanto pude e passei meu tempo tentando encontrar sinais das velhas constelações na nova organização. O céu se manteve limpo, exceto por uma ou outra nuvem que vagava. Cochilei algumas vezes, sem dúvida. Então, enquanto minha vigília seguia, uma luz clara surgiu ao Leste no céu, como o reflexo de um fogo sem cor e a velha Lua apareceu, esguia, pontiaguda e branca. E logo atrás, ultrapassando-a e transbordando-a, vinha a aurora, pálida de início, tornando-se depois rosa e quente. Nenhum Morlock havia se aproximado de nós, aliás eu não havia visto nenhum sobre a colina naquela noite e na confiança de um dia renovado, quase pareceu que meu medo tinha sido irracional. Levantei-me e descobri que meu pé, o mesmo que não tinha o salto, estava inchado no tornozelo e doía no calcanhar, então me sentei novamente, tirei os sapatos e os atirei para longe.

Acordei Weena e entramos no bosque, que agora era verde e agradável em vez de escuro e hostil. Encontramos algumas frutas para quebrar nosso jejum e logo encontramos outros de seu povo, rindo e dançando à luz do dia como se não existisse na natureza algo como a noite. E mais uma vez pensei sobre o pedaço de carne que eu havia visto. Eu tinha certeza do que era agora e, do fundo do meu coração, sentia pena dessa última leva da humanidade. Evidentemente, em algum momento do longo período da decadência humana, a comida dos Morlocks havia acabado. Era possível que tivessem vivido de ratos e animais semelhantes. Mesmo agora, o homem é menos seletivo com sua comida do que era antes, é menos seletivo que qualquer macaco, por exemplo. Seu preconceito contra a carne humana não é um instinto enraizado. E assim, esses inumanos filhos dos homens...! Tentei ter uma visão científica de tudo aquilo, afinal eles eram menos humanos e mais distantes do que nossos ancestrais canibais de três ou quatro mil anos atrás. E a inteligência, que teria feito desse estado das coisas um tormento, se foi. Por que eu deveria me incomodar? Os Eloi eram apenas gado gordo, que os Morlocks preservavam e depois caçavam, provavelmente controlavam a reprodução também. E Weena dançava do meu lado!

Depois tentei me preservar do horror que recaía sobre mim, considerando tudo isso uma punição rigorosa ao egoísmo humano. O homem tinha se contentado em viver com tranquilidade e prazer às custas do trabalho de seus semelhantes, havia usado a necessidade como sua palavra de ordem e também como desculpa, mas com o passar do tempo, a necessidade se tornara um hábito para ele. Eu até tentei sentir desprezo, no estilo de Carlyle[11], por essa aristocracia miserável em decadência, mas manter essa mentalidade era impossível. Apesar de seu declínio intelectual, os Eloi ainda mantinham muitos traços humanos que despertavam a minha simpatia e me levavam a compartilhar do seu Medo e degradação.

Naquele momento, eu tinha algumas vagas ideias sobre o caminho que deveria seguir. A primeira era encontrar um lugar seguro que servisse de refúgio e fazer quantas armas de metal e pedra eu pudesse, pois essa era uma necessidade imediata. Em segundo lugar, esperava encontrar alguma maneira de criar fogo, para que eu pudesse ter uma

---

11 Thomas Carlyle foi um escritor, historiador, ensaísta e tradutor escocês. Ele teceu comentários sobre o colapso da aristocracia e sobre os seus efeitos na sociedade, além de ser contra o materialismo, sendo um dos principais críticos sociais da Era Vitoriana. (N.T.)

tocha nas mãos, pois eu sabia que nada seria mais eficiente contra os Morlocks. Depois, queria arranjar algum tipo de equipamento para arrombar as portas de bronze sob a Esfinge Branca, então pensei em um aríete[12]. Estava convencido de que, se pudesse entrar por aquelas portas carregando uma tocha, eu encontraria a Máquina do Tempo e escaparia. Imaginava que os Morlocks não eram fortes o suficiente para movê-la para tão longe. E eu havia decidido trazer Weena para a nossa era. Repassando essas ideias na minha cabeça, continuei no caminho em direção à construção que eu havia escolhido como nossa moradia.

---

12 Máquina de guerra com que se derrubavam as muralhas ou as portas das cidades sitiadas. (N.E.)

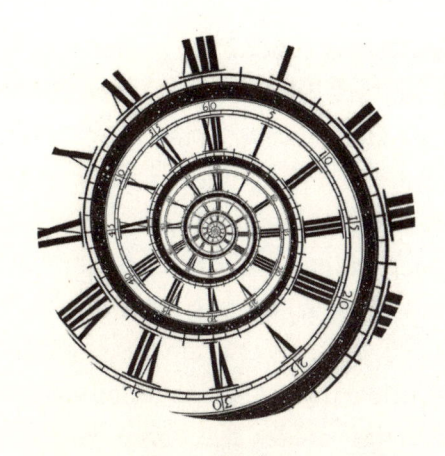

O PALÁCIO DE PORCELANA VERDE

– Encontrei o Palácio de Porcelana Verde, quando nos aproximamos por volta do meio-dia, deserto e em ruínas. Apenas pedaços irregulares de vidro restavam nas janelas, e grandes camadas de revestimento verde haviam caído da estrutura metálica corroída. Ele ficava no alto de um terreno coberto por um gramado e olhando em direção ao Nordeste antes de entrar no edifício, fiquei surpreso ao ver a foz de um rio, ou riacho, no lugar onde eu supunha que Wandsworth e Battersea se localizavam. Pensei então, apesar de não ter concluído o pensamento, no que poderia ter acontecido, ou no que estava acontecendo, com os seres vivos que viviam no oceano.

O material do Palácio era realmente porcelana e, na sua fachada, encontrei inscrições em caracteres desconhecidos. Pensei, inocentemente, que Weena poderia me ajudar a interpretá-los, mas logo notei que a simples ideia de escrever nunca havia passado pela sua cabeça. Ela sempre pareceu para mim mais humana do que era, talvez por conta de sua afeição.

Passando pelas grandes portas, que estavam abertas e quebradas, encontramos, em vez do salão habitual, uma longa galeria iluminada por várias janelas laterais. À primeira vista, me lembrou um museu.

O chão de azulejos estava coberto de poeira e uma impressionante quantidade de objetos variados também se encontrava envolta no mesmo pó acinzentado. Então percebi, ao me posicionar no meio do salão, que aquilo era claramente a parte inferior de um grande esqueleto. Eu reconheci pelos pés oblíquos que aquilo era uma criatura extinta, semelhante ao megatério. O crânio e os ossos superiores estavam ao lado na poeira espessa e, em um lugar, onde a água da chuva havia caído por um buraco no telhado, os ossos estavam desgastados. Mais à frente na galeria, estava o esqueleto imenso de um brontossauro. Era, de fato, um museu. Perto de uma das paredes, descobri o que pareciam ser prateleiras inclinadas e, limpando a poeira, encontrei as antigas caixas de vidro da nossa época, mas elas deviam ser vedadas, a julgar pelo estado de conservação de alguns conteúdos.

Era certo que estávamos entre as ruínas dos últimos dias do distrito de South Kensington! Aqui, aparentemente, era a seção de Paleontologia, que deve ter abrigado uma coleção esplêndida de fósseis, ainda que o processo inevitável de decadência, que foi retardado pela extinção de bactérias e fungos e perdeu 90% de sua força, tivesse voltado com extrema firmeza e lentidão sobre seus tesouros. Aqui e ali, encontrei traços das pessoinhas na forma de raros fósseis partidos em pedaços ou presos em fios. Em alguns casos, o vidro havia sido retirado, pelos Morlocks, acredito eu. O lugar era muito silencioso e a poeira densa amortecia nossos passos. Weena, que brincava com um ouriço-do-mar sobre o vidro inclinado das caixas, aproximou-se enquanto eu contemplava tudo e silenciosamente pegou minha mão, ficando ao meu lado.

De início, fiquei tão surpreso com esse monumento antigo de uma era intelectual que não pensei a respeito de suas possibilidades. Até mesmo minha preocupação com a Máquina do Tempo se afastou um pouco da minha mente.

Julgando pelo tamanho do local, esse Palácio de Porcelana Verde continha muito mais que uma Galeria de Paleontologia. Possivelmente, teria galerias históricas, até mesmo uma biblioteca. Para mim, pelo menos nas circunstâncias atuais, isso seria muito mais interessante do que esse espetáculo de geologia antiga decadente. Ao explorar, encontrei outra pequena galeria, transversalmente à primeira. Essa parecia ser dedicada aos minerais e, ao ver um bloco de enxofre, pensei de imediato em pólvora, mas não encontrei nenhum salitre, nem nitratos de qualquer tipo. Sem dúvida, eles haviam se dissolvido há muito tempo. Ainda assim, o enxofre permaneceu na minha mente e iniciou uma série de pensamentos. Quanto ao restante dos objetos da galeria, ainda que em sua maioria estivessem muito bem preservados, eles não me interessavam. Não sou nenhum especialista em mineralogia, por isso continuei o caminho por um corredor em ruínas, paralelo ao primeiro que eu havia entrado. Aparentemente, essa seção tinha sido devotada à História Natural, mas tudo se encontrava em um estado irreconhecível. Alguns vestígios definhados e manchados do que antes eram animais empalhados, múmias desidratadas em jarros que antes continham álcool, uma poeira marrom de plantas mortas: isso era tudo! Eu estava triste com aquilo, porque gostaria de traçar os reajustes pelos quais a conquista da natureza viva foi alcançada. Entramos em uma galeria de proporções colossais, mas não muito iluminada, cujo chão formava um pequeno ângulo a partir de onde eu havia entrado. Globos brancos estavam pendurados no teto em intervalos regulares, muitos deles rachados e esmagados, o que sugeria que, no início, o local havia sido iluminado artificialmente. Aqui eu me sentia mais em meu hábitat, pois, do outro lado da sala, havia máquinas imensas, a maioria corroída e algumas quebradas, mas outras ainda estavam inteiras. Vocês sabem que tenho um fraco por mecanismos, estava inclinado a permanecer ali, ainda mais porque a maioria delas parecia um quebra-cabeça e eu podia apenas adivinhar para o que elas eram usadas. Pensei que, se pudesse resolver os enigmas, eu poderia ter o controle de poderes a serem usados contra os Morlocks.

De repente, Weena se aproximou de mim, tão rápido que me assustou. Se não fosse por ela, eu não teria notado que o chão da galeria se inclinava[13]. O lugar por onde eu havia entrado era muito acima do chão, e estava iluminado por janelas estreitas, que pareciam fendas.

---

13 Pode ser que o chão não fosse inclinado, mas que o museu fosse construído sobre a encosta de uma colina. (N. E.)

Seguindo na galeria em comprimento, o chão se elevava contra as janelas, até que se formasse um fosso como aqueles que existiam em frente às casas londrinas, com uma pequena faixa estreita de luz no topo. Segui em frente devagar, ainda curioso sobre as máquinas e muito interessado nelas para notar a diminuição gradual da luz, até que o aumento da preocupação de Weena chamou minha atenção. Então percebi que a galeria seguia até terminar em uma escuridão densa. Hesitei e, então, olhando ao meu redor, percebi que a poeira era menos abundante e sua superfície, menos uniforme. Mais à frente na penumbra, ela parecia marcada por algumas pequenas pegadas estreitas. A sensação de que os Morlocks estavam presentes voltou. Senti que estava perdendo meu tempo ao examinar atentamente as máquinas. Lembrei-me de que já estávamos quase no fim da tarde e eu ainda não tinha nenhuma arma, nenhum refúgio e nem meios para produzir fogo. Na escuridão remota da galeria, ouvi ruídos peculiares e os mesmos sons estranhos que eu havia escutado quando estava no poço.

Peguei a mão de Weena. Depois, tendo uma ideia repentina, soltei sua mão e me virei para a máquina da qual se projetava uma alavanca não muito diferente daquelas usadas para sinalização em sistemas de transporte ferroviário. Escalando o suporte e agarrando essa alavanca com as mãos, coloquei todo o meu peso sobre ela, de lado. De repente, Weena, abandonada no meio da galeria, começou a choramingar. Eu tinha calculado muito bem a força necessária para arrancar a alavanca, pois ela se soltou após um minuto de tensão. Retornei à Weena, agora com um bastão em mãos, que eu julgava mais que o suficiente para quebrar qualquer crânio de Morlock que eu pudesse encontrar e eu desejava muito matar alguns Morlocks. Vocês devem estar pensando que é muito inumano desejar a morte dos próprios descendentes, mas era impossível sentir qualquer humanidade naquelas criaturas. Foi a minha relutância em abandonar Weena e a convicção de que, se eu começasse a satisfazer meu desejo de matar, minha Máquina do Tempo sofreria as consequências que me impediram de seguir em frente na galeria e matar os animais que eu ouvia.

A Máquina do Tempo

Com o bastão em uma mão e Weena em outra, saí daquela galeria e entrei em outra ainda maior, que, à primeira vista, me lembrava uma capela militar com bandeiras esfarrapadas. Reconheci os farrapos marrons e chamuscados que pendiam dos lados como vestígios decadentes de livros. Há tempos estavam em pedaços e todo indício de impressão havia sido apagado. Porém, aqui e ali, havia capas destruídas e fechos metálicos rachados que contavam a história. Se eu fosse um homem literário, talvez pudesse tecer considerações sobre a futilidade de toda essa ambição, mas o que mais me impressionava era o enorme desperdício de trabalho que esse deserto sombrio de papéis podres testemunhava. Naquele momento, devo confessar, pensei sobretudo nas edições de *Transações Filosóficas*[14] e nos meus dezessete artigos sobre física óptica.

Depois, subindo uma escada larga, chegamos ao que parecia ter sido uma galeria de química técnica. Eu não tinha muitas esperanças de fazer descobertas úteis naquele local. Exceto por um canto onde o teto tinha desabado, essa galeria estava muito bem preservada. Avidamente verifiquei cada caixa quebrada. E, por fim, em uma das caixas vedadas, encontrei uma caixa de fósforos, então eu os testei com afinco. Estavam em perfeito estado. Não estavam nem mesmo úmidos. Virei-me para Weena: "Vamos dançar!", eu disse a ela em sua própria língua, pois agora eu tinha uma arma contra as terríveis criaturas que temíamos. Então, naquele museu abandonado, sobre os tapetes macios de poeira densa, para o grande prazer de Weena, comecei uma dança elaborada, assobiando *The Land of the Leal* o mais alegremente que pude. A dança era composta de cancan, sapateado, dança de saia (ou o que minha casaca permitia) e também de passos originais. Porque, para mim, é natural inventar coisas, vocês sabem.

Ainda penso que essa caixa de fósforo ter escapado do desgaste do tempo por anos imemoráveis foi algo muito estranho e, para mim, favorável. Ainda encontrei, por mais estranho que pareça, uma substância

---

[14] Em inglês, *Philosophical Transactions of the Royal Society of London*. É a revista científica mais antiga do mundo. (N.T.)

improvável, a cânfora. Eu a encontrei em uma jarra selada, que por acaso, suponho, era hermeticamente selada. Imaginei, de início, que era cera de parafina e quebrei o vidro de acordo, mas o cheiro de cânfora era inconfundível. Na decadência universal, essa substância volátil teria chance de sobreviver, talvez por milhares de séculos. Ela me lembrou de uma pintura sépia que eu havia visto, feita com a tinta de um fóssil de belemnite, que devia ter morrido e fossilizado há milhões de anos. Eu estava prestes a jogar a substância fora, mas me lembrei de que ela era inflamável e produzia uma chama brilhante, era uma excelente vela e a coloquei no bolso. No entanto, não encontrei explosivos, nem objetos que pudessem quebrar as portas de bronze. Até então, a barra de ferro era a coisa mais útil que eu havia encontrado. Mesmo assim, deixei a galeria extremamente eufórico.

Não posso contar a vocês toda a história daquela longa tarde. Isso demandaria um grande esforço da memória para lembrar das minhas explorações na ordem correta. Eu me lembro de uma longa galeria com bancadas de armas enferrujadas e de como hesitei entre minha alavanca de ferro, um machado ou uma espada. No entanto, eu não poderia carregar duas armas e minha barra de ferro parecia mais eficiente contra os portões de bronze. Havia milhares de revólveres, pistolas e rifles. A maioria das armas estava enferrujada, mas muitas outras eram de um metal novo e estavam bem conservadas. Porém qualquer cartucho ou pólvora que tivesse existido, havia virado poeira. Um dos cantos estava chamuscado e destruído, possivelmente por uma explosão entre os exemplares. Em outro canto, havia uma vasta gama de ídolos: polinésios, mexicanos, gregos, fenícios, de todos os lugares do mundo, pensei. E, cedendo a um impulso irresistível, escrevi meu nome sobre o nariz de um monstro da América do Sul feito de pedra-sabão, que me agradou particularmente.

À medida que a noite caía, meu interesse diminuiu. Avancei galeria após galeria, empoeiradas, silenciosas, muitas vezes em ruínas. As exibições, às vezes, meras pilhas de ferrugem e lignito, outras mais conservadas. De repente, em um desses lugares, encontrei o modelo de uma mina de latão e, por acidente também, descobri, em uma das caixas vedadas, dois cartuchos de dinamite. Gritei "Eureka" e quebrei o vidro com alegria. Depois me veio a dúvida. Hesitei. E então, escolhendo uma pequena galeria lateral, fiz meu experimento. Nunca senti tanta decepção quanto ao esperar cinco, dez, quinze minutos por uma explosão que nunca aconteceu. Obviamente, os objetos eram falsos, como eu deveria ter imaginado. Acredito que, se não fossem falsos, eu teria corrido para explodir a esfinge, as portas de bronze e (como acabou sendo provado) as minhas chances de encontrar a Máquina do Tempo. Teria mandado tudo pelos ares.

Foi depois daquilo, acredito eu, que chegamos a um pequeno pátio aberto dentro do palácio. Tinha um gramado e três árvores de frutas e ali descansamos e nos refrescamos. Ao pôr do sol, comecei a reconsiderar nossa posição. A noite estava descendo sobre nós e meu esconderijo inacessível ainda tinha que ser encontrado. Mas isso me preocupava pouco agora. Eu tinha em mãos algo que talvez fosse a melhor defesa de todas contra os Morlocks: eu tinha fósforos! Tinha a cânfora no meu bolso também, caso precisasse de uma chama maior. Parecia para mim que a melhor coisa que poderíamos fazer seria passar a noite no campo aberto, protegidos pelo fogo e de manhã, buscaríamos a Máquina do Tempo. Para tanto, por enquanto, eu só tinha o meu bastão de ferro, mas agora, com um conhecimento maior, eu me sentia diferente em relação às portas de bronze. Eu tinha evitado forçá-las, por causa do mistério que havia do outro lado. Elas não me pareciam muito robustas, e eu esperava que minha barra de ferro não fosse completamente inadequada para o serviço.

NA ESCURIDÃO

— Saímos do Palácio enquanto o sol ainda estava acima do horizonte. Estava determinado a alcançar a Esfinge Branca na manhã seguinte e, antes do entardecer, eu pretendia atravessar o bosque que havia me interrompido a jornada anterior. Meu plano era ir o mais longe possível nesta noite e então fazer uma fogueira para dormir sob a proteção de suas chamas. Assim sendo, enquanto caminhávamos, eu recolhia qualquer galho ou capim seco que encontrasse, ficando com os braços cheios após algum tempo. Nosso progresso foi mais lento do que imaginei por causa da carga que transportávamos e, além disso, Weena estava cansada. Eu também comecei a sofrer com a sonolência, assim, já era noite cheia quando chegamos ao bosque. Weena teria parado antes dele, sobre a colina arborizada, temendo a escuridão diante de nós, mas uma sensação de calamidade iminente, que deveria ter me servido de aviso, me fez continuar. Eu não dormia havia dois dias e uma noite, estava impaciente e irritado. Sentia o sono chegando e, com ele, os Morlocks.

Enquanto hesitávamos, entre arbustos escuros atrás de nós, indistintas na escuridão, vi três figuras agachadas. Havia um matagal muito alto ao nosso redor e eu não me sentia seguro contra a abordagem traiçoeira das criaturas. A floresta, eu calculei, tinha menos de um 1,5 km de extensão.

A Máquina do Tempo

Se conseguíssemos chegar à encosta nua, lá seria um local completamente seguro para descansarmos, assim me parecia. Pensei que, com os fósforos e a cânfora, eu poderia iluminar o caminho por entre o bosque, mas era evidente que, se eu quisesse acender os fósforos com as minhas mãos, eu deveria abandonar a lenha e assim, relutante, coloquei-a no chão. Então me veio à mente que eu assustaria nossos amigos escondidos ao acender os fósforos. Eu estava para descobrir a tremenda estupidez desse procedimento, mas, de início, parecia um movimento genial para encobrir nossa fuga.

Não sei se vocês já pensaram que coisa notável uma chama deve ser na ausência do homem e em um clima temperado. O calor do sol raramente é forte o suficiente para queimar uma floresta, mesmo quando passa por gotas de orvalho, como é o caso, às vezes, em locais mais tropicais. Um raio pode explodir e queimar, mas raramente inicia um fogo alastrado. A vegetação decadente pode, por acaso, queimar com o calor de sua própria fermentação, mas raramente resulta em chamas. Nessa decadência também, a arte de fazer fogo havia sido esquecida neste planeta. As labaredas que lambiam as pilhas de madeira eram algo completamente novo e estranho para Weena.

Ela queria correr em sua direção e brincar com elas. Acredito que ela teria se lançado sobre elas se eu não a tivesse impedido, mas eu a segurei e, apesar de sua dificuldade, ela entrou corajosamente no bosque. A luz da fogueira iluminou um pedaço do caminho. Olhando para trás, pude ver, por entre os vários troncos, que da minha pilha de galhos a chama havia se espalhado para alguns arbustos adjacentes e uma linha curva de fogo subia pela grama da colina. Eu ri disso e me virei novamente para as árvores diante de mim. Estava muito escuro e Weena se agarrou a mim, mas ainda havia, conforme meus olhos se acostumavam à escuridão, luz suficiente para que eu evitasse os troncos. Acima tudo era breu, exceto onde uma fenda de céu azul remoto brilhava sobre nós aqui e ali. Não acendi nenhum dos meus fósforos porque minhas mãos estavam ocupadas. Sobre o meu braço esquerdo eu carregava minha pessoinha, e na mão direita, a barra de ferro.

Por algum tempo, não ouvi nada além dos galhos crepitantes sob os meus pés, o farfalhar suave da brisa, minha própria respiração e o latejar das veias em meus ouvidos. E então percebi o som de passos atrás de mim. Continuei de modo incessante. Os passos ficaram mais distintos, e então detectei o mesmo som e as mesmas vozes estranhas que eu havia ouvido no Mundo Subterrâneo. Era evidente que havia vários Morlocks, e eles estavam se aproximando de mim. Aliás, em menos de um minuto senti um puxão no meu casaco, depois algo tocando meu braço. Weena se mexeu de forma violenta e depois ficou completamente imóvel.

Era hora de acender um fósforo, mas para pegar um eu precisava colocá-la no chão. Coloquei-a e, enquanto me atrapalhava com o bolso, um conflito começou a acontecer na escuridão, na altura dos meus joelhos. Weena estava em absoluto silêncio e os Morlocks continuavam fazendo o mesmo som peculiar. Pequenas mãos macias passavam pelo meu casaco e pelas minhas costas, tocando até o meu pescoço. Em seguida, risquei o fósforo e ele se acendeu. E o segurei enquanto queimava e vi as costas pálidas dos Morlocks fugindo por entre as árvores. Eu peguei rapidamente um pedaço da cânfora em meu bolso e me preparei para acendê-la assim que o fósforo começasse a se apagar. Então olhei para Weena, que estava deitada no chão agarrando meus pés, quase imóvel, com seu rosto voltado para o chão. Com um terror repentino, me inclinei sobre ela, que parecia mal respirar. Acendi o pedaço de cânfora e o atirei ao chão e quando ele se partiu e ardeu em chamas, afastando os Morlocks e as sombras, eu me ajoelhei e a levantei. O bosque atrás de nós parecia cheio de seres que se mexiam e murmuravam.

Parecia que ela tinha desmaiado. Coloquei-a com cuidado sobre o meu ombro e me levantei para continuar o caminho, mas então me dei conta de algo terrível. Ao manipular os fósforos e Weena, eu me virei inúmeras vezes e agora não tinha a menor ideia de qual caminho eu deveria seguir. Pelo que eu sabia, eu poderia estar indo em direção ao Palácio de Porcelana Verde. Comecei a suar frio, contudo eu tinha que pensar muito rápido no que fazer. Decidi acender uma fogueira e acampar onde estávamos. Coloquei Weena, ainda imóvel, apoiada sobre um tronco coberto de grama, e rapidamente, já que o primeiro pedaço de cânfora se apagava, comecei a coletar galhos e folhas. Aqui e ali nas sombras ao redor, os olhos dos Morlocks brilhavam como um carbúnculo[15].

A cânfora tremulou e se apagou. Acendi um fósforo e quando o fiz, duas figuras brancas que se aproximavam de Weena fugiram apressadas. Um deles ficou tão cego pela luz que veio em minha direção e eu senti seus ossos se esfarelando sob o golpe do meu punho. Ele deu um grito de desespero, cambaleou um pouco e caiu. Acendi outro pedaço de cânfora e continuei a coletar material para minha fogueira. Neste momento, notei o quanto a folhagem acima de mim estava seca, pois desde a minha chegada na Máquina do Tempo, há uma semana, nenhuma chuva tinha caído. Então, em vez de recolher gravetos caídos por entre as árvores, comecei a saltar e puxar galhos. Logo eu tinha um fogo esfumaçado e sufocante feito de madeira verde e gravetos secos e podia economizar minha cânfora. Depois me virei para Weena, que estava deitada ao lado da minha barra de ferro. Fiz o que pude para revivê-la, mas ela parecia estar morta e não consegui nem mesmo verificar se ela respirava ou não.

A fumaça veio em minha direção e deve ter me deixado tonto de repente. Além disso, o vapor da cânfora estava no ar. A fogueira não precisaria ser reabastecida por uma hora ou mais. Eu me senti muito cansado após todo o esforço e me sentei. O bosque fazia um murmurinho sonolento que eu não entendia, parecia que eu havia apenas piscado, mas tudo estava escuro e os Morlocks estavam com as mãos sobre mim. Afastando seus dedos grudentos, eu rapidamente procurei pela caixa de fósforos no meu bolso, mas ela tinha sumido! Então me agarraram de novo, subindo em cima de mim. Em um instante, entendi o que havia acontecido. Eu tinha dormido e o fogo se apagou.

---

15 Carbúnculo é uma pedra preciosa vermelha que, quando iluminada, brilha como um carvão em brasa. (N.T.)

A amargura da morte havia tomado conta da minha alma. A floresta cheirava a madeira queimada. Fui pego pelo pescoço, pelo cabelo, pelos braços e fui derrubado. Era indescritível o horror de estar na escuridão e sentir essas criaturas em cima de mim, senti como se estivesse em uma teia de aranha monstruosa. Fui dominado e levado ao chão. Senti pequenos dentes mordendo meu pescoço, rolei para o lado encontrando minha alavanca de ferro e isso me deu forças. Levantei-me, chacoalhando os ratos humanos de mim e segurando a barra, acertei onde eu achava que seus rostos estavam. Eu podia sentir a carne e os ossos sob meus golpes, e por um momento, eu estava livre.

A estranha euforia que parece acompanhar, com frequência, uma luta intensa tomou conta de mim. Sabia que Weena e eu estávamos condenados, mas decidi fazer os Morlocks pagarem pela carne. Apoiei as costas em uma árvore, balançando a barra de ferro diante de mim. O bosque todo estava tomado pela comoção e pelo choro deles. Um minuto se passou, as vozes pareciam estar mais altas e mais animadas, e seus movimentos ficaram mais rápidos. No entanto, nenhum deles se aproximava, permaneci encarando o breu e uma esperança surgiu. E se os Morlocks estivessem com medo? E junto a ela, outra coisa surgiu. A escuridão parecia ficar iluminada. De maneira fraca, comecei a ver os Morlocks ao meu redor, três deles feridos aos meus pés, e então eu percebi, com incrível surpresa, que os outros estavam correndo, em um fluxo incessante, como parecia, por trás de mim em direção à frente da floresta e suas costas não pareciam mais brancas e sim avermelhadas. Enquanto eu permanecia boquiaberto, vi uma pequena faísca vermelha se mover por uma brecha entre os galhos e desaparecer. E com aquilo entendi o que significava o cheiro de madeira queimada, o murmurinho sonolento que se transformava em um barulho agitado, o brilho vermelho e a fuga dos Morlocks.

Desencostando da árvore e olhando para trás, vi, por entre os pilares pretos das árvores mais próximas, as chamas da floresta que queimava. Minha primeira fogueira estava me perseguindo. Com isso, olhei para

Weena, mas ela tinha sumido. A crepitação sibilante atrás de mim e o som explosivo a cada nova árvore que queimava me deixavam pouco tempo para refletir. Com a barra de ferro ainda em mãos, segui o caminho dos Morlocks. Era uma corrida difícil, pois as chamas avançavam rapidamente à minha direita e me cercavam enquanto eu corria, por isso tive que correr para a esquerda, mas por fim cheguei a um pequeno espaço aberto, e quando o fiz, um Morlock correu desajeitado em minha direção, passou por mim e foi direto para o fogo!

E então eu veria a coisa mais estranha e horrível, acredito, de tudo que eu observei na era futura. Esse espaço estava tão claro como o dia com o reflexo do fogo. No centro, havia um pequeno morro, ou tumulus[16], coberto por um espinheiro queimado. Depois dele, havia outro pedaço da floresta em chamas, com línguas amarelas já se contorcendo, cercando completamente o espaço com um círculo de fogo. Sobre o topo da colina, havia trinta ou quarenta Morlocks, deslumbrados pela luz e pelo calor, que trombavam uns com os outros devido ao espanto. No início, não me dei conta da cegueira deles e os atingia furiosamente com a minha barra, em um frenesi de pavor quando eles se aproximavam de mim, matando um e machucando vários. Porém quando observei os gestos de um deles tateando por baixo do espinheiro contra o céu vermelho, e ouvi seus lamentos, eu tive certeza de sua impotência e miséria absolutas na luminosidade e não acertei mais nenhum.

Contudo, de vez em quando, um deles vinha na minha direção, soltando um grito trêmulo de horror que me fazia desviar dele. Em certo momento, as chamas diminuíram de algum modo, e eu temi que as desagradáveis criaturas pudessem me ver. Pensei em começar a luta matando alguns deles antes que isso acontecesse, mas o fogo ardeu de novo e eu abaixei o braço. Caminhei até a colina no meio deles e os evitei, procurando por algum sinal da Weena, mas ela tinha sumido.

---

16 Tumulus ou mamoa é uma construção artificial feita para proteger as sepulturas coletivas, geralmente construída com pedras e areia para evitar a corrosão do tempo.

Por fim, sentei-me sobre o cume do pequeno morro e observei esse grupo estranho e incrível de criaturas cegas tateando aqui e ali, fazendo sons esquisitos uns para os outros, enquanto o brilho das chamas os acertava. Uma onda de fumaça vagueava pelo céu, e por entre as raras brechas do dossel vermelho, remotas como se pertencessem a outro universo, as estrelas brilhavam. Dois ou três Morlocks vieram em minha direção, e eu os afastei aos murros, tremendo enquanto fazia isso.

Durante a maior parte da noite, estava convencido que era tudo um pesadelo. Eu me mordi e gritei num desejo desesperado de acordar. Soquei o chão com as mãos, sentei e levantei novamente, vaguei por aqui e por ali, e de novo sentei. E então, esfregando os olhos, clamei a Deus para que me mantivesse acordado. Por três vezes, vi os Morlocks abaixarem a cabeça em uma espécie de agonia e depois correrem em direção às chamas. Mas, finalmente, sobre o vermelho apagado do fogo, sobre as cortinas de fumaça preta e os troncos de árvores queimados, e sobre o número reduzido dessas criaturas sombrias, veio a luz branca do dia.

Procurei novamente por traços da Weena, mas não havia nenhum. Era óbvio que eles haviam deixado seu pobre corpinho na floresta. Eu não podia descrever como estava aliviado em saber que ela havia escapado da sina terrível à qual parecia destinada. Pensando nisso, quase me levantei para iniciar o massacre das abominações impotentes que estavam ao meu redor, mas me contive. O pequeno morro, como eu havia dito, era uma espécie de ilha na floresta. Do seu cume, eu podia ver, através da névoa de fumaça, o Palácio de Porcelana Verde, e de lá eu poderia seguir em direção à Esfinge Branca. E então, deixando para trás os remanescentes daquelas almas condenadas, que ainda iam para lá e para cá lamentando-se, amarrei um pouco de grama nos pés, e manquei por entre as cinzas que fumegavam e os troncos que ainda queimavam internamente com o fogo, rumo ao esconderijo da Máquina do Tempo. Caminhei com calma, pois estava exausto, além de manco, e sentia a mais intensa miséria pela terrível morte da pequena

Weena. Parecia uma fatalidade esmagadora. Aqui, nesta sala velha e familiar, parece mais com a tristeza de um sonho do que a de uma perda real, mas aquela manhã me deixou solitário de novo, extremamente solitário. Comecei a pensar nesta casa, nesta lareira, em alguns de vocês e, com tais pensamentos, veio uma saudade que doía.

Mas enquanto eu andava sobre as cinzas fumegantes sob o céu iluminado da manhã, fiz uma descoberta. No bolso da minha calça, ainda restavam alguns fósforos perdidos. A caixa deve ter rasgado antes de se perder.

A ARMADILHA DA ESFINGE BRANCA

— Lá pelas oito ou nove da manhã, encontrei o mesmo assento de metal amarelo sobre o qual eu havia observado o mundo na noite da minha chegada. Pensei a respeito das minhas conclusões precipitadas daquela noite e não pude deixar de rir amargurado da minha confiança. Aqui ainda estavam o mesmo cenário maravilhoso, a mesma folhagem abundante, os mesmos palácios esplêndidos e ruínas magníficas, o mesmo rio prateado correndo por entre suas margens férteis. Os robes alegres da população esplêndida se moviam para lá e para cá por entre as árvores. Alguns estavam se banhando no mesmo lugar onde eu havia salvado Weena e a lembrança me trouxe uma pontada de dor. E como manchas sobre a paisagem, surgiam as cúpulas que serviam de entradas para o Mundo Subterrâneo. Eu entendia agora o que toda essa beleza das pessoas do Mundo Superior encobria. O dia deles era muito agradável, tão agradável quanto o dia do gado no campo. Assim como o gado, não conheciam inimigos e não tinham necessidades com as quais se preocupar. Além disso, o fim deles era o mesmo.

Lamentei ao pensar quão breve o sonho da inteligência humana tinha sido. Ele tinha cometido suicídio. Tinha se estabelecido firmemente no conforto e na tranquilidade, uma sociedade equilibrada cujo lema era segurança e estabilidade. Tinha alcançado suas expectativas de, por fim, chegar a isso. Em algum momento, a vida e a propriedade devem ter alcançado uma quase absoluta segurança. Os ricos tinham sua riqueza e seu conforto garantidos e os trabalhadores, sua vida e trabalho. Não há dúvidas de que nesse mundo perfeito não havia problemas de desemprego, nem questões sociais não resolvidas. E uma grande paz se seguiu.

É uma lei da natureza que ignoramos, aquela versatilidade intelectual é a compensação por mudanças, perigos e problemas. Um animal em perfeita harmonia com seu meio ambiente é um mecanismo perfeito. A natureza nunca apela para a inteligência, a menos que o hábito e o instinto se tornem inúteis. Não há inteligência onde não há mudanças ou necessidade de mudanças. Apenas animais que enfrentam uma grande variedade de necessidades e perigos precisam de inteligência.

Da maneira como vejo, o homem do Mundo Superior focou-se em sua frágil beleza, e o Mundo Subterrâneo, em uma mera indústria mecânica. Porém aquele perfeito estado não dispunha de uma coisa essencial para a perfeição mecânica: estabilidade total. Aparentemente, com o passar do tempo, o modo de alimentação do Mundo Subterrâneo tinha se desarticulado, ainda que não se saiba como. A Necessidade Mãe, que tinha sido evitada por alguns milhares de anos, retornou, e ela começou por baixo. O Mundo Subterrâneo, estando em contato com máquinas, que, mesmo perfeitas, precisam de manutenção além do habitual, provavelmente reteve à força mais iniciativa, ainda que menos do que qualquer outro personagem humano, do que os habitantes do Mundo Superior. E quando outros tipos de carne faltaram, eles se voltaram para um hábito antigo até então proibido. Então, posso dizer que foi isso que vi na minha última observação do mundo de 802701. Pode ser uma explicação errada, já que foi inventada pela inteligência humana. Foi dessa maneira que tudo se moldou para mim e é assim que a transmito para vocês.

Depois do cansaço, da agitação e dos terrores dos últimos dias, e apesar do meu luto, aquele assento, a vista tranquila e a luz quente do sol eram muito agradáveis. Estava muito cansado e sonolento, e logo deixei de teorizar e passei a cochilar. Ao me pegar fazendo aquilo, segui minha própria dica e, deitando-me sobre o gramado, tirei uma longa e revigorante soneca.

Acordei um pouco antes do pôr do sol. Agora eu não temia mais ser pego pelos Morlocks enquanto dormia e, me alongando, desci a colina em direção à Esfinge Branca. Eu tinha minha barra de ferro em uma das mãos, enquanto a outra brincava com os fósforos no meu bolso.

E então ocorreu algo inesperado. Quando me aproximei do pedestal da Esfinge, encontrei as portas de bronze abertas. Elas tinham deslizado pelos sulcos e eu parei um pouco antes de alcançá-las, hesitando entrar.

Lá dentro, havia uma pequena sala e, em um local mais elevado no canto, estava a Máquina do Tempo. Eu estava com as pequenas alavancas no bolso. Depois de todos os elaborados planejamentos para o cerco da Esfinge Branca, isso era uma rendição branda. Joguei minha barra de metal fora, quase triste por não a usar.

Um pensamento repentino me veio à mente enquanto eu descia em direção à entrada. Por um momento, pelo menos, compreendi as operações mentais dos Morlocks. Reprimindo uma forte vontade de rir, caminhei pela armação de bronze indo até a Máquina do Tempo. Fiquei surpreso ao descobrir que ela estava cuidadosamente limpa e lubrificada. Suspeitei que os Morlocks a tivessem desmontado enquanto tentavam, à sua maneira ingênua, descobrir para o que ela servia.

Então, enquanto eu a examinava, sentindo prazer no simples toque do aparelho, aquilo que eu esperava aconteceu. Os painéis de bronze subitamente deslizaram e fecharam a porta com um estrondo. Eu estava no escuro, encurralado ou assim pensavam os Morlocks. Ri alegremente disso.

Eu já podia ouvir suas risadas murmurantes enquanto eles vinham ao meu encontro. Com muita calma, tentei acender o fósforo, pois eu precisava apenas encaixar as alavancas e partir como um fantasma. Eu tinha esquecido de uma coisa. Os fósforos eram daquele tipo detestável que só se acendem quando riscados na caixa.

Vocês podem imaginar como minha calma desapareceu. Os pequenos animais já estavam perto de mim e um até me tocou. Desferi golpes na direção deles com as alavancas, lutando para conseguir alcançar o assento da máquina. E então uma mão veio sobre mim e depois outra. Eu tinha que lutar contra os dedos persistentes deles pelas alavancas e, ao mesmo tempo, procurar os pinos onde elas se encaixariam. Uma delas eles quase conseguiram tirar de mim. Quando ela escapou das minhas mãos, tive que dar uma cabeçada no escuro e pude ouvir o crânio do Morlock ressoar, mas eu a recuperei. Essa luta foi muito mais acirrada do que aquela na floresta, pensei.

Mas finalmente as alavancas foram fixadas e puxadas. As mãos grudentas soltaram-se de mim. A escuridão caiu sobre os meus olhos. Eu me encontrei na mesma luz cinzenta e no mesmo tumulto que já descrevi.

A VISÃO FUTURA

– Eu já contei a vocês sobre a náusea e a confusão que vêm junto com a viagem no tempo. E dessa vez eu não estava sentado de modo adequado no assento, estava de lado e em uma posição instável. Por um período indefinido, eu me agarrei à máquina conforme ela balançava e vibrava, ignorando um pouco o caminho e quando resolvi olhar os mostradores de novo, fiquei maravilhado ao descobrir onde eu havia chegado. Um dos mostradores marca o dia, outro marca milhares de dias, um terceiro milhões de dias e o último, milhares de milhões. Em vez de reverter as alavancas, eu as puxei para avançar com a máquina e quando olhei para os indicadores, o mostrador dos milhares de dias estava girando tão rápido quando os segundos em um relógio. Para o futuro.

Enquanto eu viajava, uma mudança peculiar ocorreu na aparência das coisas. A cinzenta palpitação aumentou, e então, ainda que eu estivesse viajando a uma velocidade extraordinária, a sucessão intermitente dos dias e das noites, que era geralmente um indicativo de um ritmo mais lento, retornou e ficou cada vez mais visível. Isso me intrigou muito no começo. As alternâncias entre o dia e a noite foram diminuindo, assim como a passagem do sol pelo céu, até parecer que se alongavam por séculos. Por fim, um crepúsculo constante aninhou-se sobre a Terra, um crepúsculo interrompido, às vezes, quando um cometa cintilava pelo céu escuro. A faixa de luz que indicava o sol havia desaparecido, pois o sol havia parado de se pôr, ele simplesmente subia e descia no Oeste, e ficava cada vez mais largo e vermelho. Todos os traços da lua haviam desaparecido. O movimento das estrelas, cada vez mais devagar, havia dado lugar a graduais pontos de luz. Finalmente, antes que eu parasse, o sol, vermelho e largo, parou imóvel sobre o horizonte, um grande domo brilhando com um calor enfraquecido, de vez em quando sofrendo uma extinção momentânea. Por um momento, cintilou de maneira ainda mais brilhante de novo, mas rapidamente voltou ao seu calor vermelho e amuado. Percebi por essa lentidão entre o nascer e o descer que não existia mais o trabalho das marés. A Terra agora descansava com uma face virada para o sol, assim como a lua fica posicionada para nós hoje. Com muita cautela, pois eu lembrava da minha queda anterior, comecei a reverter o movimento. Os ponteiros ficaram cada vez mais lentos, até que o dos milhares de dias ficou imóvel e aquele que marcava os dias deixou de ser uma mera névoa sobre sua escala. Eles continuaram devagar, até que os contornos embaçados de uma acinzentada praia desolada ficaram visíveis.

Parei com gentileza e me sentei sobre a Máquina do Tempo, olhando ao redor. O céu não era mais azul. O Nordeste era manchado de tinta preta, e da escuridão brilhavam firmes estrelas brancas e pálidas. Acima de mim, o céu era de um vermelho indiano e sem estrelas, e no Sudeste o tom escarlate brilhava forte onde, cortado pelo horizonte, descansava o grande sol, vermelho e imóvel. As pedras ao meu redor eram de um tom vermelho forte, e todo o vestígio de vida que eu podia ver, de início, era uma vegetação de verde intenso que cobria cada ponto que se projetava no Sudeste. Era o mesmo verde rico que vemos nos musgos da floresta ou em líquenes nas cavernas, plantas que, como essa, crescem em um crepúsculo permanente.

A máquina estava parada sobre uma praia inclinada. O mar se alongava em direção ao Sudoeste, elevando-se em um horizonte acentuado e brilhante contra o céu pálido. Não havia arrebentação nem ondas, pois nenhum vento soprava. Apenas uma leve ondulação fraca, quase como uma respiração suave, indicava que o mar eterno ainda se movia e vivia. E ao longo da margem onde a água às vezes arrebenta, havia uma grossa incrustação de sal, rosa sob o céu vívido. Havia uma sensação de opressão na minha mente e notei que eu estava com a respiração acelerada. A sensação me lembrou da minha única experiência com alpinismo, e julguei que o ar era mais rarefeito do que é nos dias atuais.

Ouvi de longe, na encosta desolada, um grito agressivo, e vi algo que se parecia com uma borboleta branca gigante inclinando-se e agitando-se no ar e, num rápido movimento, desapareceu sobre alguns morros distantes. O som da sua voz era tão sombrio que estremeci e me sentei com mais firmeza sobre a máquina. Olhando ao redor novamente, eu vi, muito perto, que aquilo que eu havia descrito como pedras vermelhas estava se movendo de forma lenta na minha direção. Depois percebi que, na verdade, era uma criatura monstruosa com aparência de caranguejo. Vocês podem imaginar um caranguejo tão grande quanto aquela mesa ali, com várias patas se movendo devagar e de modo inseguro, suas enormes garras balançando, suas longas antenas, que pareciam chicotes, se mexendo e sentindo o ar, e seus olhos que perseguem, brilhando para você nos dois lados do seu rosto metálico? Suas costas eram onduladas, ornamentadas com protuberâncias e com uma incrustação verde manchada aqui e ali. Eu podia ver os inúmeros palpos de sua complicada boca oscilando e tateando enquanto ele se movia.

Enquanto eu observava essa aparição sinistra que se arrastava até mim, senti cócegas na minha bochecha como se uma mosca tivesse pousado ali. Tentei afastá-la com a mão, mas ela retornou em um instante, e outra imediatamente pousou na minha orelha. Eu a acertei, e segurei algo semelhante a um fio, que foi retirado rapidamente das minhas mãos. Com uma náusea terrível, eu me virei e vi que havia agarrado a antena de outro caranguejo monstruoso que estava atrás de mim. Seus olhos malignos estavam inquietos nas hastes, sua boca estava viva de apetite, e suas grandes garras desajeitadas, manchadas com lodo de alga, estavam descendo sobre mim. De repente, minha mão estava sobre a alavanca e um mês me separava desses monstros, mas eu ainda estava na mesma praia, e os vi de maneira diferente assim que pousei. Dezenas deles pareciam rastejar aqui e ali, na luz sombria, por entre o verde intenso da vegetação.

Não posso transmitir o sentimento de desolação abominável que pairava sobre o mundo. O céu vermelho ao Leste, a escuridão no Nordeste, o Mar Morto salgado, a praia pedregosa cheia desses monstros desagradáveis e lentos, o verde uniforme de aparência venenosa das plantas lascivas e o ar rarefeito que machucava os pulmões: tudo contribuía para um efeito chocante. Eu havia me movido por cem anos, e lá estava o mesmo sol vermelho, um pouco maior, mais opaco, o mesmo mar que agonizava, o mesmo ar frio, e o mesmo grupo de crustáceos terrestres rastejando entre a vegetação verde e as pedras vermelhas. E no céu ocidental, vi uma linha pálida e curva como se fosse uma enorme lua nova.

Então, viajei, parando de vez em quando, em grandes intervalos, de mil anos ou mais, atraído pelo mistério do destino da Terra, observando com estranha fascinação o sol tornar-se cada vez maior e mais opaco no céu ocidental, e a vida da velha Terra esgotar-se. Por fim, depois de mais de trinta milhões de anos da época atual, o enorme domo vermelho e quente do Sol havia ocultado quase um décimo dos céus sombrios. Então parei mais uma vez, pois a multidão de caranguejos tinha desaparecido, e a praia vermelha, exceto por seus musgos e líquenes de cor verde intensa, parecia sem vida e agora estava manchada de branco. Fui acometido por um frio penetrante. Raros flocos brancos caíam de vez em quando, em forma de redemoinho. No Nordeste, o reflexo da neve repousava sob o brilho das estrelas do céu escuro, e eu podia ver o topo ondulado das colinas em tons rosados e brancos. Havia blocos de gelo ao longo das margens do oceano, com pedaços flutuando na distância, mas a maior parte daquele oceano salgado, de cor vermelho-sangue sob o eterno pôr do sol, ainda estava descongelado.

Olhei ao meu redor para verificar se restava qualquer vestígio de vida animal. Uma apreensão indefinível ainda me mantinha no assento da máquina, mas eu não vi movimento algum, nem na terra, nem no céu, nem no mar. O lodo verde nas pedras comprovava que a vida não estava extinta. Um banco de areia raso aparecia no oceano e a água tinha recuado da praia. Imaginei ter visto um objeto preto debatendo-se sobre esse banco, mas tornou-se imóvel quando olhei para ele, e julguei que meu olho havia sido enganado, e que o objeto preto era apenas uma pedra. As estrelas no céu brilhavam demais e pareciam cintilar bem pouco.

De repente, notei que o contorno circular do lado Oeste do Sol havia mudado; uma concavidade, um recôncavo, havia surgido na curva. Vi a concavidade aumentar. Por um minuto talvez, encarei horrorizado essa escuridão que se arrastava sobre o dia, e depois eu percebi que um eclipse estava começando. A Lua ou o planeta Mercúrio estava passando em frente ao disco solar. Naturalmente, no início, achei que era a Lua, mas muita coisa me fazia acreditar que o que eu realmente estava vendo era a movimentação de um planeta próximo que passava muito perto da Terra.

A escuridão aumentou rapidamente, um vento gelado começou a soprar em rajadas refrescantes do Leste, e a chuva de flocos brancos no ar aumentou. Da beira do mar, veio uma marola e um sussurro. Além desses sons sem vida, o mundo estava silencioso. Silencioso? Seria difícil traduzir a quietude disso tudo. Todos os sons do homem, o balir das ovelhas, o canto dos pássaros, o zumbido dos insetos, a agitação que faz parte do plano de fundo das nossas vidas, tudo isso havia acabado. Conforme o breu aumentava, o redemoinho de flocos ficava mais abundante, dançando diante dos meus olhos, e o frio do ar ficava mais intenso. Por fim, um por um, rapidamente, um após o outro, os picos brancos das colinas distantes desapareceram na escuridão. A brisa transformou-se em um vento que lamentava. Eu vi a sombra central do eclipse deslizar na minha direção. Em outro momento, só as estrelas pálidas estavam visíveis. Todo o resto ficou na escuridão. O céu era um breu absoluto.

O horror dessa grande escuridão recaiu sobre mim. O frio que atingiu meus ossos e a dor que eu senti ao respirar me dominaram. Tremi, e uma náusea insuportável tomou conta de mim. E então, como um arco incandescente no céu, a borda do sol apareceu. Saí da máquina para me recompor. Eu me senti um pouco zonzo e incapaz de encarar a jornada de volta. Enquanto eu permanecia enjoado e confuso, vi novamente um movimento sobre o banco de areia, não era engano que ali tinha algo que se movia, em contraste com a água vermelha do mar. Era uma coisa redonda, do tamanho de uma bola de futebol talvez, ou poderia ser maior, com tentáculos saindo dela. Parecia preta contra a água vermelho-sangue, e saltava irregularmente. Senti que eu estava desmaiando, mas o pavor terrível de ficar ali deitado indefeso naquele crepúsculo remoto e horrível me sustentou enquanto eu escalava o assento da máquina.

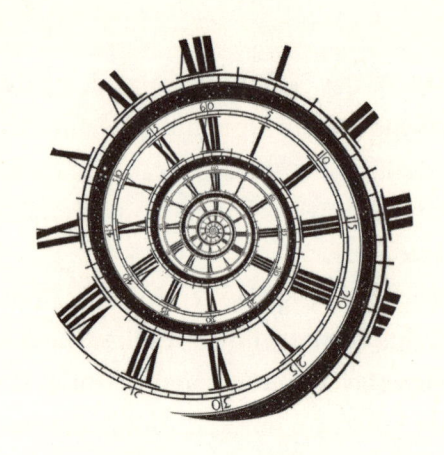

O RETORNO DO VIAJANTE DO TEMPO

– E então, eu retornei. Por muito tempo, devo ter ficado inconsciente na máquina. O piscar sucessivo de dias e noites foi retomado, o sol tornou-se dourado de novo, o céu azul. Respirei com mais liberdade. Os contornos flutuantes da terra iam e voltavam. Os ponteiros giravam ao contrário sobre os mostradores. Finalmente vi as sombras tênues das casas, as evidências de uma humanidade decadente. Essas também mudaram e passaram, e outras vieram. Quando o ponteiro dos milhões estava no zero, eu reduzi a velocidade. Comecei a reconhecer nossa arquitetura bonita e familiar, o ponteiro dos milhares voltou ao ponto de partida, o dia e a noite se revezavam cada vez mais devagar. Depois as velhas paredes do laboratório surgiram ao meu redor e gentilmente eu desliguei o mecanismo.

Eu vi algo que pareceu estranho para mim. Acho que contei para vocês que, quando parti, antes da minha velocidade se tornar muito alta, a senhora Watchett havia atravessado a sala, rápida como um foguete. Quando retornei, passei novamente por aquele minuto em que ela atravessou o laboratório, mas agora cada movimento dela parecia ser exatamente o inverso dos anteriores. A porta no final do caminho se abriu, e ela deslizou em silêncio pelo laboratório, de costas, e desapareceu por trás da porta pela qual ela havia entrado anteriormente. Pouco antes disso, pensei ter visto Hillyer por um momento, mas ele passou como um raio.

Então, parei a máquina e vi ao meu redor o velho laboratório, minhas ferramentas, meus equipamentos do mesmo jeito que eu os havia deixado. Sai da máquina hesitante e sentei sobre a bancada. Por vários minutos, eu tremi violentamente. Depois me acalmei. Ao meu redor, estava minha velha oficina, do mesmo modo como ela era. Eu podia ter dormido e a história toda não passava de um sonho.

No entanto, não exatamente. Tudo havia começado no canto sudeste do laboratório. E terminara no canto noroeste, apoiada na parede em que vocês a viram. Isso dá a vocês a distância exata entre o pequeno gramado e o pedestal da Esfinge Branca, para onde os Morlocks haviam carregado minha máquina.

Por um tempo, meu cérebro ficou estagnado. Depois me levantei e andei pelo corredor, mancando, porque meu calcanhar ainda doía, e me sentindo extremamente sujo. Eu vi o *Pall Mall Gazette*[17] na mesa perto da porta. Percebi que a data era de hoje e, olhando para o relógio, vi que eram quase oito horas. Ouvi suas vozes e o barulho de pratos. Hesitei. Eu me sentia tão cansado e fraco. E então senti o cheiro gostoso da carne e abri a porta encontrando vocês e agora sabem o resto. Eu me lavei e jantei, e agora estou contando a vocês a história.

---

17 *Pall Mall Gazette* é um jornal noturno londrino fundado em fevereiro de 1865.

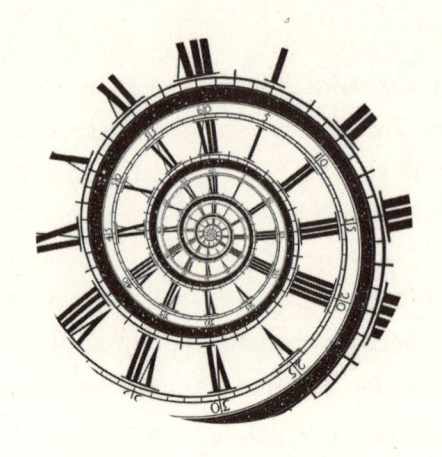

DEPOIS DA HISTÓRIA

– Eu sei – ele disse após uma pausa – que tudo isso vai parecer inacreditável para vocês, mas, para mim, a única coisa inacreditável é que eu estou aqui hoje, nesta sala familiar, olhando para o rosto amigável de vocês e contando sobre essas aventuras estranhas.

Ele olhou para o Médico.

– Não, não posso esperar que vocês acreditem nisso. Tomem isso como uma mentira ou uma profecia. Digam que eu sonhei com isso na oficina. Considerem que eu estou especulando sobre os destinos da nossa raça, até ter criado essa ficção. Tratem minha afirmação de que isso tudo é verdade como um mero toque de arte para aumentar o interesse. E, imaginando que seja uma história inventada, o que vocês pensam sobre ela?

Ele pegou seu cachimbo e começou, como de hábito, a bater com ele ansiosamente sobre as barras da lareira. Houve um momento de silêncio. As cadeiras começaram a ranger e os sapatos a arranhar o carpete. Tirei os olhos do Viajante do Tempo e olhei para o público ao redor. Eles estavam no escuro e pequenos pontos de cor flutuavam diante deles. O Médico parecia concentrado na contemplação do seu anfitrião. O Editor olhava fixamente para a ponta do seu charuto, o sexto. O Jornalista manuseava seu relógio. Os outros, pelo que me lembro, estavam imóveis.

O Editor levantou-se suspirando.

– Que pena que você não é escritor! – ele disse, colocando a mão sobre o ombro do Viajante do Tempo.

– Você não acredita na história?

– Bem...

– Eu imaginava que não.

O Viajante do Tempo virou-se para nós.

– Onde estão os fósforos? – perguntou. Acendeu um e falou, entre tragadas, por cima do cachimbo:

– Para dizer a verdade... eu mesmo mal acreditei e ainda assim...

Seus olhos pousaram, como uma pergunta silenciosa, sobre as flores brancas na pequena mesa. Depois ele virou a mão que segurava o cachimbo, e vi que ele olhava para algumas cicatrizes quase curadas nos nós dos dedos.

O Médico se levantou, veio até a lâmpada e examinou as flores.

– O gineceu está estranho – ele disse. O Psicólogo se inclinou para olhar, estendendo a mão para pegar uma delas.

– Não acredito que são quinze para uma! – disse o Jornalista. – Como vamos para casa?

– Há vários carros na estação – disse o Psicólogo.

– É uma coisa curiosa – disse o Médico –, mas não sei de qual ordem são essas flores. Posso ficar com elas?

O Viajante do Tempo hesitou. E de repente:

– Claro que não.

– Onde você realmente as encontrou? – perguntou o Médico.

O Viajante do Tempo colocou a mão na cabeça. Falou como alguém que tenta agarrar uma ideia prestes a fugir.

– Elas foram colocadas no meu bolso pela Weena, quando viajei no Tempo.

Ele olhou ao redor da sala.

– Tudo está muito confuso. Esta sala, vocês, e a atmosfera desse dia é demais para minha memória. Eu realmente construí uma Máquina do Tempo, ou um modelo de Máquina do Tempo? Ou tudo isso é apenas um sonho? Eles dizem que a vida é um sonho, um pobre sonho precioso às vezes, mas eu não suportaria outro que não se encaixasse. É loucura. E de onde veio esse sonho? Eu tenho que olhar para a máquina. Se é que existe uma!

Ele pegou a lâmpada com rapidez, e a carregou passando pela porta até o corredor. Nós o seguimos. Lá, à luz da lâmpada, estava a máquina. Atarracada, feia e torta. Uma coisa de bronze, ébano, marfim e quartzo translúcido cintilante. Sólido ao toque, pois coloquei minha mão sobre ela e senti o metal, e com manchas marrons sobre o marfim, tufos de gramas e musgo na parte de baixo e uma barra entortada.

O Viajante do Tempo colocou a lâmpada sobre a bancada e passou a mão sobre o metal danificado.

– Está tudo bem agora – ele disse. – A história que contei a vocês era verdadeira. Desculpe-me ter trazido vocês aqui no frio. – Ele pegou a lâmpada e, em absoluto silêncio, retornamos para a sala.

Ele nos acompanhou até o *hall* de entrada e ajudou o Editor com seu casaco. O Médico olhou para o seu rosto e, com certa hesitação, disse que ele estava sofrendo de excesso de trabalho, o que fez o anfitrião soltar uma risada. Eu me lembro de vê-lo na porta de entrada, nos desejando boa noite em voz alta.

Dividi um táxi com o Editor. Ele pensava que o conto era uma "mentira mirabolante". Da minha parte, não fui capaz de chegar a uma conclusão. A história era tão fantástica e inacreditável, mas a narrativa foi tão confiável e séria. Fiquei acordado a maior parte da noite pensando sobre isso. Eu decidi ir ver o Viajante do Tempo novamente no dia seguinte. Disseram-me que ele estava no laboratório, e sendo conhecido na casa, fui até ele sozinho. O laboratório, no entanto, estava vazio. Encarei por um minuto a Máquina do Tempo, estendi minha mão e toquei a alavanca. Com o toque, a massa atarracada de aparência substancial balançou como um galho agitado pelo vento. Sua instabilidade me assustou demais, e tive a estranha recordação da minha infância quando eu era proibido de mexer nos objetos. Voltei pelo corredor. O Viajante do Tempo me encontrou na sala usada para fumar. Ele vinha do interior da casa. Levava uma câmera embaixo de um braço e uma mochila embaixo do outro. Ele sorriu quando me viu e me cumprimentou com o cotovelo.

– Estou terrivelmente ocupado – ele disse – com aquela coisa lá dentro.

– Mas não é uma farsa? – eu disse. – Você realmente viaja no tempo?

– Eu realmente acredito que sim. – E me deu um olhar sincero. Hesitou. Seus olhos vagaram pela sala. – Eu só quero meia hora. – ele disse. – Eu sei por que você veio, é muito gentil de sua parte. Há algumas revistas aqui. Se você ficar para o almoço, vou comprovar essa viagem no tempo de maneira absoluta, com amostras e tudo mais. Se você permitir que eu me ausente agora.

Consenti, sem entender muito bem a importância de suas palavras, e ele acenou com a cabeça desaparecendo no corredor. Ouvi a porta do laboratório bater. Eu me sentei em uma poltrona e peguei um jornal. O que ele iria fazer antes do almoço? E então me lembrei, por conta de uma propaganda no jornal, que eu tinha prometido encontrar Richardson, o editor-chefe, às duas. Olhei para o meu relógio e percebi que mal podia cumprir aquele compromisso. Levantei-me e segui pelo corredor para avisar o Viajante do Tempo.

Quando segurei a maçaneta da porta escutei uma exclamação, incompreensível no final, e então um clique e uma batida. Uma lufada de vento rodopiou ao meu redor quando abri a porta e, lá de dentro, veio o som de vidro quebrado caindo no chão. O Viajante do Tempo não estava lá. Parecia que eu via uma figura indistinta e fantasmagórica sentada em uma massa rodopiante de cores preta e bronze. Uma figura tão transparente que a bancada por trás dela, com suas folhas de desenhos, estava absolutamente distinta, mas esse fantasma sumiu assim que esfreguei os olhos. A Máquina do Tempo havia sumido. Exceto pela agitação da poeira, o laboratório estava vazio. A vidraça da claraboia, aparentemente, tinha acabado de estourar.

Senti um espanto irracional. Sabia que algo estranho tinha acontecido e, naquele momento, eu não podia distinguir o que poderia ser essa coisa estranha. Enquanto permaneci encarando o lugar, a porta para o jardim se abriu e o empregado apareceu.

Nós nos olhamos. Algumas ideias começaram a surgir.

– O Senhor... saiu por aquela porta? – perguntei.

– Não, senhor. Ninguém saiu por ali. Eu esperava encontrá-lo aqui.

E então eu entendi. Correndo o risco de desapontar Richardson, eu permaneci, esperando pelo Viajante do Tempo. Esperando pela segunda história, talvez ainda mais estranha, e pelas amostras e fotografias que ele traria. Porém começo a temer que devo esperar a vida toda. O Viajante do Tempo desapareceu três anos atrás. E como todos sabem, ele nunca retornou.

EPÍLOGO

  Não podemos fazer nada além de imaginar o que aconteceu. Ele retornará um dia? Ele pode ter sido arrastado ao passado e caído no meio dos selvagens cabeludos e bebedores de sangue da Era da Pedra Lascada, nos abismos do Mar Cretáceo ou entre os grotescos sáurios, enormes répteis dos tempos Jurássicos. Ele pode estar agora, se eu posso usar essa frase, vagando em algum recife de coral oolítico assombrado por plesiossauros, ou perto dos solitários mares salgados do Período Triássico. Ou ele foi para o futuro, para alguma das épocas próximas, nas quais os homens ainda são homens, mas com os grandes enigmas do nosso próprio tempo respondidos e seus cansativos problemas resolvidos? Na época de maior virilidade da raça humana, porque eu não acredito que esses nossos últimos dias de experimentos frágeis, teorias fragmentárias e discórdia mútua sejam, de fato, o ponto culminante da humanidade! Digo isso de minha parte. Ele, eu sei (pois essa questão havia sido discutida entre nós bem antes da Máquina do Tempo ser criada), pensou, ainda que sem entusiasmo, no Progresso da Humanidade, e via a pilha crescente da civilização como um amontoado insensato de coisas que inevitavelmente cairia e destruiria seus próprios criadores no final. Se é assim mesmo, nos resta viver como se não fosse. Mas, para mim, o futuro ainda é escuro e vazio, é uma ignorância vasta, iluminada em alguns lugares pela lembrança da história do Viajante do Tempo. E tenho comigo, para me confortar, duas estranhas flores brancas, agora murchas, marrons, achatadas e frágeis, para testemunhar que, mesmo quando a inteligência e a força já se foram, a gratidão e a ternura recíproca ainda vivem no coração dos homens.